LA NOUVELLE CUISINE
SANTÉ

Données de catalogage avant publication (Canada)

Poissant Laurin, Manon
  La nouvelle cuisine santé
  ISBN 2-7604-0646-6
  1. Diabète - Diétothérapie - Recettes. 2. Cuisine Santé.
I. Raymond, Céline. II. Rouette, Josée. III. Titre.
RC662.P62 1998   641.5'6314   C98-940834-5

Photographies : Virginia Wheeldon
Infographie des pages intérieures : Productions graphiques ADHOC

Les Éditions internationales Alain Stanké bénéficient du soutien financier du Conseil des Arts du Canada et de la Société de développement des entreprises culturelles (SODEC) pour leur programme de publication.

Distribué en Suisse par Diffusion Transat S.A.

ISBN 2-7604-0646-6
Dépôt légal: Bibliothèque nationale du Québec, 1998

Les Éditions internationales Alain Stanké
615, boulevard René-Lévesque Ouest, bureau 1100
Montréal (Québec) H3B 1P5
Téléphone: (514) 396-5151
Télécopieur: (514) 396-0440

IMPRIMÉ AU QUÉBEC (Canada)

LA NOUVELLE CUISINE SANTÉ

Manon Poissant Laurin
Céline Raymond
Josée Rouette
diététistes

avec la collaboration de Suzanne Léger, diététiste

Stanké

MONTRÉAL - PARIS

TABLE DES MATIÈRES

L'ALIMENTATION DU DIABÉTIQUE

REMERCIEMENTS

Ce livre est le fruit d'un effort soutenu, auquel nombre de personnes ont apporté une précieuse contribution.

Madame Suzanne Léger, diététiste, a fourni une aide fort appréciable dans la réalisation de cet ouvrage. Elle a bien voulu nous faire bénéficier de sa compétence dans l'organisation du travail de standardisation de même que dans la rédaction des recettes et des menus.

Madame Nicole Di Bartoloméo, journaliste, nous a, généreusement, fait profiter de son expérience de la communication au moment de l'élaboration des textes d'information.

Nous adressons également nos remerciements à mesdames Francine Emmian et Christiane Matteau, diététistes, qui ont aimablement accepté de réviser les textes et ont su nous conseiller quant à leur contenu.

Mesdames Dorothée Balladur, Francine Dubois et Nicole Jourdenais, étudiantes en techniques de diététique, ont assuré, sous la supervision des auteurs, l'expérimentation des recettes. Le soin, la patience et la créativité apportés à leur travail sont à la base même de cette réalisation.

Afin de s'assurer de la clarté et de la compréhension des recettes, Manon Auclair et Hélène Bérubé les ont relues et commentées. Pour sa part, Michèle Cadrin, diététiste, nous a assistées dans la révision du calcul des recettes.

Nous profitons de l'occasion pour exprimer notre reconnaissance au personnel de l'Association du diabète du Québec, pour sa constante collaboration.

Nous tenons à remercier Isabelle Yelle qui a dactylographié le manuscrit, avec efficacité et précision.

À tous et chacun, notre profonde gratitude.

Les auteurs
Manon Poissant Laurin
Céline Raymond
Josée Rouette

PRÉFACE

« Une saine alimentation », *voilà un principe fort bien connu mais combien peu suivi !*

Si l'on regarde attentivement le profil de notre alimentation, nous retrouvons certes des aliments de bonne qualité, mais nous y voyons le plus souvent une surabondance et des discordances frappantes entre les divers composants, puisque nous consommons beaucoup trop de sucre et de graisse.

La diététique, science de l'alimentation, vient au secours de ceux pour qui un régime bien équilibré s'impose.

Le diabète sucré touche plus de quatre pour cent de notre société. Cette maladie consiste principalement en une perte partielle ou totale de la sécrétion interne d'insuline, hormone essentielle à la digestion des sucres par les cellules de notre organisme. La personne diabétique se voit donc obligée de suivre un régime alimentaire composé de plusieurs repas et de plusieurs collations tous les jours afin de ne pas surcharger son pancréas, organe délivreur d'insuline. Il faut noter que l'obésité accompagne fréquemment le diabète et dans ce cas une diète restreinte en calories s'impose.

Cette alimentation typique du diabétique, si nous la regardons bien, ressemble en tous points au régime idéal équilibré ; celui que tous nous devrions suivre.

Ce recueil, fruit d'un long travail, dénote un art culinaire certain et une science diététique de pointe. L'imagination des auteurs a permis la création de recettes variées, de bon goût et qui respectent les principes d'une saine alimentation. De plus, le diabétique trouvera pour chaque recette un tableau facile à consulter qui lui indique la valeur en équivalents et la teneur en glucides d'une portion. Cette source de renseignements est un outil précieux pour ceux qui aiment varier leur alimentation.

Je suis donc heureux de saluer le mariage de la bonne cuisine et de la science diététique. Je souhaite que cette union profite à tous et particulièrement aux diabétiques.

André Bélanger, m.d., endocrinologue
Président de l'Association du
diabète du Québec

Au cours du XXe siècle, nos habitudes alimentaires ont grandement changé... matières grasses et sucres raffinés se sont faits plus présents dans notre assiette pendant que les fibres étaient, elles, souvent laissées pour compte. Ainsi, malgré la grande disponibilité d'aliments que nous connaissons aujourd'hui, notre régime alimentaire ne s'avère pas toujours bien équilibré...

L'équilibre alimentaire constitue, pourtant, un élément de base dans la prévention de nombre d'affections. Ainsi, l'obésité, les maladies dentaires, certaines formes de diabète et certaines maladies intestinales sont hautement reliées à notre mode d'alimentation. Il est donc primordial de faire le bilan de nos habitudes alimentaires et d'y apporter les modifications nécessaires en vue de protéger ou d'améliorer notre santé.

Dans le cadre de notre travail, il nous est donné de rencontrer chaque jour, des personnes qui entreprennent, par choix ou par nécessité, de modifier leurs habitudes alimentaires. Plusieurs d'entre elles, nous ont exprimé le désir d'avoir un livre de recettes, qui puisse les assister dans cette démarche. C'est donc pour ces personnes, et pour toutes celles qui voudront s'assurer une saine alimentation, que nous avons pensé et réalisé ce volume.

Une variété de mets savoureux, à teneur réduite en matières grasses et en sucre, y est offerte. Des céréales à grains entiers, des légumineuses, des fruits et des légumes frais font régulièrement partie des ingrédients... voilà qui permet de rehausser la teneur en fibres des préparations. Par ailleurs, toutes les recettes ont été expérimentées avec de l'équipement domestique et les mesures sont données dans les deux systèmes, métrique et impérial.

La grande diversité des recettes proposées ainsi que la correspondance établie pour chacune d'elles avec le Guide alimentaire canadien, permettent d'élaborer des menus variés et nutritifs pour les repas de tous les jours, comme pour ceux associés à des occasions spéciales... Des suggestions de menus pour réceptions et pique-niques sont, d'ailleurs, présentées à titre d'exemples.

Le végétarisme étant un mode d'alimentation qui fait des adeptes de plus en plus nombreux, nous avons cru bon de consacrer quelques pages à ce sujet. Information, recettes et exemples de menus y sont donnés, afin de favoriser une saine pratique de ce mode d'alimentation.

Les recettes présentées dans ce volume CONVIENNENT TRÈS BIEN aux personnes diabétiques et l'Association du diabète du Québec leur en recommande l'usage. Nous avons donc tenu à compléter cet ouvrage par une section d'information qui leur est plus particulièrement destinée. Cette section regroupe des textes portant sur l'alimentation du diabétique et le système d'équivalents. Précisons aussi qu'aucune recette ne contient de substituts synthétiques du sucre, produits dont les effets à long terme sont encore sous investigation. Une faible quantité de sucre, jamais plus de 5 g par portion (soit environ 5 mL ou 1 c. à thé), a été utilisée dans certaines préparations. Nous en avons alors tenu compte dans le calcul de la valeur en équivalents afin que ces recettes, comme toutes les autres, puissent figurer au menu des personnes diabétiques et apporter toujours plus de couleur et de variété dans leur alimentation. Notons que, dans cette deuxième édition, les diabétiques qui utilisent le nouveau système de groupes d'aliments (Vive la santé, vive la bonne alimentation !) trouveront, à la fin du livre, un Tableau indiquant la valeur alimentaire de chaque recette selon ce système.

Nous espérons donc que ce recueil de recettes contribuera à ce que SAINE ALIMENTATION et PLAISIRS DE LA TABLE ne fassent qu'UN... pour TOUS !

Une bonne santé se caractérise par une sensation de bien-être physique, psychologique et émotionnel. L'alimentation constitue un facteur déterminant en matière de santé. En effet, elle a des répercussions non seulement sur notre fonctionnement physiologique et notre apparence, mais aussi sur notre comportement, notre capacité de travail et notre façon de voir la vie...

Une saine alimentation s'avère donc primordiale pour tous... mais comment s'assurer qu'elle est bien adéquate ? Le meilleur outil, pour ce faire, demeure sans aucun doute le Guide alimentaire canadien. Ce guide est, en fait, un modèle d'alimentation qui permet de fournir à l'organisme l'ensemble des éléments nutritifs (plus de cinquante...) qu'il requiert chaque jour. Voici donc en quoi consistent ses recommandations :

GUIDE ALIMENTAIRE CANADIEN

Variété

Mangez des aliments choisis dans chacun des groupes, selon le nombre et la grosseur de portions recommandés dans le Guide.

Équilibre énergétique

Les besoins énergétiques varient selon l'âge, le sexe et le type d'activité. Vous pouvez conserver un poids idéal en maintenant l'équilibre entre l'énergie fournie par les aliments, et l'énergie dépensée par l'exercice physique. Les aliments recommandés dans le Guide fournissent entre 4000 et 6000 kJ (kilojoules) (entre 1000 et 1400 kilocalories). Pour un apport énergétique accru, augmentez le nombre et la grosseur de portions des aliments des différents groupes et/ou ajoutez d'autres aliments.

Modération

Choisissez de préférence des aliments qui contiennent peu de gras, de sucre et de sel et limitez la quantité de ceux-ci dans les préparations culinaires. Consommez de l'alcool en quantité modérée seulement.

Mangez chaque jour des aliments choisis dans chacun de ces groupes

lait et produits laitiers

Enfants jusqu'à 11 ans	2-3 portions
Adolescents	3-4 portions
Femmes enceintes et allaitantes	3-4 portions
Adultes	2 portions

Prendre du lait écrémé, partiellement écrémé ou entier, du lait de beurre, du lait en poudre ou évaporé, comme boisson ou comme ingrédient principal dans d'autres plats. On peut également remplacer le lait par du fromage.

Quelques exemples d'une portion

250 mL (1 tasse) de lait
175 mL (¾ tasse) de yogourt
45 g (1½ once) de fromage cheddar ou de fromage fondu

Les personnes qui consomment du lait non enrichi devraient prendre un supplément de vitamine D.

pains et céréales
3-5 portions

à grains entiers ou enrichis. Choisir des produits à grains entiers de préférence.

Quelques exemples d'une portion

1 tranche de pain
125 mL (½ tasse) de céréales cuites
175 mL (¾ tasse) de céréales prêtes à servir
1 petit pain ou muffin
125 à 175 mL (½ à ¾ tasse) de riz, de macaroni, de spaghetti ou de nouilles, après cuisson

viande, poisson, volaille et substituts
2 portions

Quelques exemples d'une portion

60 à 90 g (2 à 3 onces) de viande maigre, de poisson, de volaille ou de foie, après cuisson.
60 mL (4 c. à table) de beurre d'arachides
250 mL (1 tasse) de pois secs, de fèves sèches ou de lentilles, après cuisson
125 mL (½ tasse) de noix ou de graines
60 g (2 onces) de fromage cheddar
125 mL (½ tasse) de fromage cottage
2 œufs

fruits et légumes
4-5 portions

Inclure au moins deux légumes

Manger des légumes et des fruits variés — cuits, crus ou leur jus. Choisir des légumes jaunes, verts ou verts feuillus.

Quelques exemples d'une portion

125 mL (½ tasse) de légumes ou de fruits — frais, congelés ou en conserve
125 mL (½ tasse) de jus — frais, congelé ou en conserve
1 pomme de terre, carotte, tomate, pêche, pomme, orange ou banane, de grosseur moyenne

NOTE : Certains aliments n'apparaissent pas au Guide alimentaire canadien car leur valeur calorique est trop importante par rapport à leur valeur nutritive. Il s'agit, par exemple, du sucre blanc ou brun, des confitures, de la mélasse, du miel, du sirop d'érable, des bonbons, des boissons gazeuses... de même que de la crème, du beurre, de la margarine, de l'huile...

Un usage excessif de ces aliments risque d'entraîner un déséquilibre alimentaire. Cependant, s'ils ne sont pas contre-indiqués pour raison de santé, une consommation modérée de ces aliments peut s'avérer appropriée si l'énergie dépensée (activité physique) est importante... et que les recommandations du Guide alimentaire canadien sont déjà satisfaites !

En vue de maximiser la valeur nutritive des recettes qui suivent, nous y avons limité l'utilisation de gras et de sucre.

La préférence a donc été accordée, dans l'élaboration de ces recettes, aux coupes de viande moins grasses comme aux produits laitiers maigres. Quant à l'huile, à la margarine ou au beurre, c'est toujours en quantités modérées qu'ils sont inclus dans ces mets. Notons que, si besoin il y a, l'utilisation d'une margarine à haute teneur en acides gras polyinsaturés ou d'une huile de maïs, de soya ou de tournesol permettra toujours d'accroître l'apport en acides gras polyinsaturés de ces préparations.

D'autre part, la modération dans l'usage des sucres concentrés (sucre blanc ou brun, mélasse, miel, etc.) n'est pas seulement avantageuse au point de vue nutritif... En effet, elle permettra souvent de mieux percevoir et apprécier la saveur naturelle des autres ingrédients : céréales à grains entiers, yogourt, fruits, épices...

Finalement, en vue de faciliter la planification de menus équilibrés, la correspondance avec le Guide alimentaire canadien est établie pour *chacune* des recettes par des symboles représentatifs de *chacun* des groupes d'aliments fournis en quantité appréciable. En consultant la légende, il sera facile d'identifier le groupe d'aliments, auquel la recette se réfère. Pour le diabétique, le système d'équivalents est aussi schématisé et la teneur en glucides (sucre) d'une portion est indiquée afin de faciliter ses choix et d'obtenir l'équilibre alimentaire approprié.

LÉGENDE						
Groupe d'aliments		Symboles				
GUIDE ALIMENTAIRE [2]		½ portion	1 portion +			
Lait et produits laitiers[1]	LAIT et PRODUITS LAITIERS	◑	●			
Viande et substituts[1]	VIANDE, POISSON, VOLAILLE	◑	●			
Pain et céréales	PAIN et CÉRÉALES	◑	●			
Fruits et légumes	FRUITS et LÉGUMES	◑	●			
RÉGIME AVEC ÉQUIVALENTS		½ équiv.	1 équiv.	2 équiv.	3 équiv.	4 équiv.
Lait 2% M.G.	LAIT 2% M.G.	◩	■			
Légumes A et B	LÉGUMES	◩	■			
Fruit	FRUIT	◩	■			
Pain	PAIN	◩	■			
Viande	VIANDE	◩	■	■■	■■■	■■■■
Gras	GRAS	◩	■	■■		

Teneur en glucides	TENEUR EN GLUCIDES	g

Nil	NIL	valeur nutritive négligeable (☐)

---

1. Le fromage fait partie des groupes « LAIT et PRODUITS LAITIERS » de même que « VIANDE et SUBSTITUTS ». Dans la détermination de la correspondance des recettes avec le Guide alimentaire canadien, il représentera *l'un ou l'autre* de ces groupes suivant le genre de mets considéré.

2. Les recettes, qui ne correspondent à aucun groupe d'aliments, ne peuvent rehausser de façon significative la valeur nutritive du menu, mais sauront l'agrémenter.

Quantité de l'ingrédient nécessaire à la recette

Enchaînement des opérations servant à préparer la recette

Préparation et cuisson du groupe d'ingrédients

Total du temps de préparation des ingrédients

Total du temps de cuisson des ingrédients

Groupe des composants de la recette

Composants de la recette

Une portion permet de servir une personne

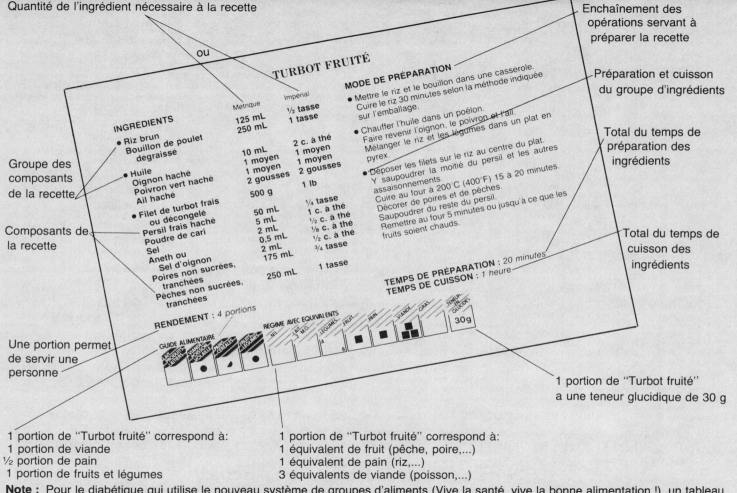

TURBOT FRUITÉ

MODE DE PRÉPARATION

INGRÉDIENTS	Métrique	Impérial
● Riz brun	125 mL	½ tasse
Bouillon de poulet dégraissé	250 mL	1 tasse
● Huile	10 mL	2 c. à thé
Oignon haché	1 moyen	1 moyen
Poivron vert haché	1 moyen	1 moyen
Ail haché	2 gousses	2 gousses
● Filet de turbot frais ou décongelé	500 g	1 lb
Persil frais haché	50 mL	¼ tasse
Poudre de cari	5 mL	1 c. à thé
Sel	2 mL	½ c. à thé
Aneth ou	0,5 mL	⅛ c. à thé
Sel d'oignon	2 mL	½ c. à thé
Poires non sucrées, tranchées	175 mL	¾ tasse
Pêches non sucrées, tranchées	250 mL	1 tasse

● Mettre le riz et le bouillon dans une casserole. Cuire le riz 30 minutes selon la méthode indiquée sur l'emballage.

● Chauffer l'huile dans un poêlon. Faire revenir l'oignon, le poivron et l'ail. Mélanger le riz et les légumes dans un plat en pyrex.

● Déposer les filets sur le riz au centre du plat. Y saupoudrer la moitié du persil et les autres assaisonnements. Cuire au four à 200°C (400°F) 15 à 20 minutes. Décorer de poires et de pêches. Saupoudrer du reste du persil. Remettre au four 5 minutes ou jusqu'à ce que les fruits soient chauds.

RENDEMENT : 4 portions

TEMPS DE PRÉPARATION : 20 minutes
TEMPS DE CUISSON : 1 heure

ou

1 portion de "Turbot fruité" a une teneur glucidique de 30 g

1 portion de "Turbot fruité" correspond à:
1 portion de viande
½ portion de pain
1 portion de fruits et légumes

1 portion de "Turbot fruité" correspond à:
1 équivalent de fruit (pêche, poire,...)
1 équivalent de pain (riz,...)
3 équivalents de viande (poisson,...)

Note : Pour le diabétique qui utilise le nouveau système de groupes d'aliments (Vive la santé, vive la bonne alimentation !), un tableau placé à la fin du livre indique la valeur de chaque recette selon ce système.

PRÉCISIONS ET CONSEILS

1. La quantité des ingrédients est donnée selon les systèmes métrique et impérial ; dans la préparation d'une recette, il importe, cependant, de s'en tenir au système choisi afin d'obtenir un produit de qualité.
2. L'identification de certains ingrédients pourrait porter à confusion ; pour éviter toute ambiguïté, mentionnons que :

les **germes de haricots mungo :**
— sont souvent et improprement appelés « fèves germées ».
— sont le produit résultant de la germination de haricots mungo, petites légumineuses de couleur verte.

les **haricots :**
— sont souvent et improprement appelés « fèves ». En fait, le mot « fève » s'applique uniquement à des plantes de la famille de Vicia ; les gourganes sont, ainsi, les graines des fèves de l'espèce alimentaire la plus connue de cette famille.
— sont une sorte de légumineuse qui comprend de nombreuses espèces comestibles (ex. : haricots de Lima, haricots flageolets,...).

l'**oignon vert :**
— désigne au Canada, pour la vente au consommateur, les jeunes espèces d'oignons dont les « échalotes ».

le **poivron :**
— aussi nommé piment doux.
— rouge ou vert.

la **purée de tomates :**
— produit commercial souvent désigné « pâte de tomates » sur l'étiquette.

la **sauce à salade** (genre mayonnaise) :
— produit commercial correspondant à la mayonnaise cuite et désigné « sauce à salade » sur l'étiquette.
— mayonnaise : émulsion d'huile stabilisée par l'addition de jaune d'œuf.
— mayonnaise cuite : émulsion dans laquelle de l'amidon cuit remplace une partie de l'huile.

De par cette différence, la sauce à salade n'est pas une mayonnaise conventionnelle et a l'avantage de contenir moins de matières grasses.

le **soya :**

— est souvent et improprement appelé « fèves de soya ».
— est une légumineuse fort nutritive.

3. Les « fruits non sucrés » comptent parmi les ingrédients de plusieurs recettes. On peut employer :
   — des fruits frais
   — des fruits congelés non sucrés
   — des fruits en conserve dans un jus non sucré
   — des fruits en conserve dans un sirop léger, rincés.

4. Les fruits et légumes congelés de même qu'en conserve demeurent des aliments fort respectables... hors saison, ils pourront d'ailleurs s'avérer plus nutritifs et moins coûteux que les produits frais.

5. Certains ingrédients, tels que la noix de coco non sucrée et les graines de tournesol non salées, se trouvent plus facilement dans des magasins spécialisés (ex. : fruiteries).

6. Du son de blé est disponible dans les marchés d'alimentation réguliers. On le retrouve au rayon des céréales ; cependant, ne pas confondre avec les céréales de son préparées (genre All Bran).

7. Il est préférable de laver le riz brun avant de le cuire afin d'éliminer le surplus d'amidon à la surface du grain : on obtient ainsi un riz moins collant.

8. La température de cuisson doit être diminuée de 10°C (25°F) lorsqu'un moule en pyrex est utilisé.

9. La cuisson des légumes se fait dans un minimum d'eau bouillante afin de réduire les pertes de nutriments.

LEXIQUE CULINAIRE

BISEAUX :   Aliments taillés obliquement.

BLANCHIR :   Plonger un aliment dans l'eau bouillante quelques minutes pour l'attendrir ou lui enlever une certaine âcreté.

BRUNOISE :   Légumes coupés en petits dés réguliers.

DÉMOULER :   Retirer d'un moule.
Méthode pour démouler un aspic :
- Avec la lame d'un couteau ou d'une spatule, détacher la gelée des bords du moule.
- Tremper le fond du moule dans de l'eau chaude 10 à 15 secondes.
- Renverser la gelée sur une assiette rincée à l'eau froide (l'aspic glissera facilement). Centrer.

Note : pour les plats délicats, procéder de la façon suivante :
- Détacher la gelée des bords du moule à l'aide d'un couteau.
- Passer un linge à vaisselle à l'eau très chaude. Bien l'essorer.
- Envelopper le moule de ce linge chaud.
- Renverser la gelée sur une assiette rincée à l'eau froide.

GONFLER :   Augmenter de volume.
Méthode pour gonfler la gélatine :
- Saupoudrer la gélatine sur l'eau ou le liquide *froid* indiqué dans la recette.
- Laisser reposer 5 minutes.

La gélatine sera gonflée lorsqu'elle aura absorbé l'eau ou le liquide.

MÉLANGEUR :   (ang. : blender) : Appareil pour pulvériser, réduire en purée ou liquéfier les aliments.

PARISIENNE :   Aliment taillé à l'aide d'une cuillère à melon pour obtenir des petites sphères.

PLIER :   Incorporer à l'aide d'une spatule avec un mouvement circulaire de haut en bas. Après chaque mouvement complet, déplacer le bol d'un quart de tour.

RECETTES

INGRÉDIENTS

	Métrique	Impérial
● **Gélatine neutre**	**1 sachet**	**1 sachet**
Eau froide	**50 mL**	**¼ tasse**
● **Sel**	**2 mL**	**½ c. à thé**
Vinaigre	**50 mL**	**¼ tasse**
Liquide des betteraves en conserve	**200 mL**	**¾ tasse**
● **Betteraves en conserve, en cubes**	**375 mL**	**1½ tasse**
Céleri coupé en cubes	**175 mL**	**¾ tasse**
Oignon haché	**15 mL**	**1 c. à table**
Raifort	**15 mL**	**1 c. à table**
● **Laitue**	**5 feuilles**	**5 feuilles**

RENDEMENT : *5 portions*

MODE DE PRÉPARATION

- Faire gonfler la gélatine dans l'eau.
  Chauffer à feu doux, en brassant pour dissoudre.

- Ajouter le sel, le vinaigre et le liquide des betteraves.
  Mettre au réfrigérateur jusqu'à consistance de blanc d'œuf (environ 45 minutes).

- Ajouter les betteraves, le céleri, l'oignon et le raifort.
  Mélanger délicatement avec une fourchette.
  Verser dans des moules de 125 mL (½ tasse) rincés à l'eau froide.
  Mettre au réfrigérateur jusqu'à consistance ferme.
  Démouler.

- Servir sur une feuille de laitue.

TEMPS DE PRÉPARATION : *55 minutes*

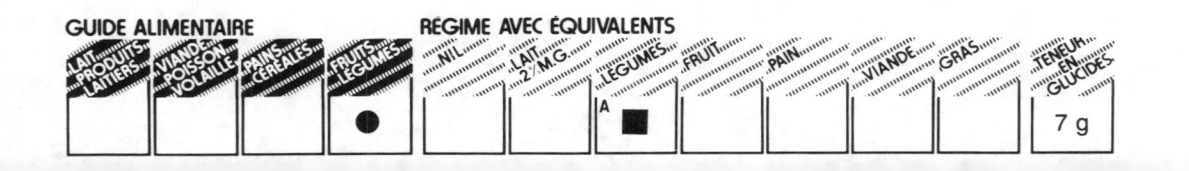

ASPIC DE FROMAGE AUX LÉGUMES

INGRÉDIENTS

	Métrique	Impérial
• **Gélatine neutre**	**20 mL**	**4 c. à thé**
Eau froide	**50 mL**	**¼ tasse**
• **Fromage cottage égoutté**	**125 mL**	**½ tasse**
Jus de tomate	**125 mL**	**½ tasse**
Sauce à salade (genre mayonnaise)	**50 mL**	**¼ tasse**
Yogourt nature	**50 mL**	**¼ tasse**
• **Céleri haché finement**	**50 mL**	**¼ tasse**
Poivron vert haché finement	**50 mL**	**¼ tasse**
Oignon haché finement	**50 mL**	**¼ tasse**
Poivron rouge haché finement	**25 mL**	**2 c. à table**
• **Laitue**	**5 feuilles**	**5 feuilles**

RENDEMENT : *5 portions*

MODE DE PRÉPARATION

• Faire gonfler la gélatine dans l'eau.
Chauffer à feu doux, en brassant pour dissoudre.

• Passer le fromage cottage au mélangeur jusqu'à consistance lisse.
Ajouter la gélatine, le jus de tomate, la sauce à salade et le yogourt.
Mélanger jusqu'à l'obtention d'une texture homogène.
Mettre au réfrigérateur jusqu'à consistance de blanc d'œuf (environ 20 minutes).

• Incorporer les légumes au mélange de gélatine.
Verser dans des moules de 125 mL (½ tasse) rincés à l'eau froide.
Mettre au réfrigérateur jusqu'à consistance ferme.
Démouler.

• Servir sur une feuille de laitue.

TEMPS DE PRÉPARATION : *30 minutes*

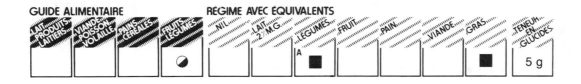

GUIDE ALIMENTAIRE — LAIT PRODUITS LAITIERS, VIANDE POISSON VOLAILLE, PAINS CÉRÉALES, FRUITS LÉGUMES

RÉGIME AVEC ÉQUIVALENTS — NIL, LAIT 2% M.G., LÉGUMES, FRUIT, PAIN, VIANDE, GRAS, TENEUR EN GLUCIDES — 5 g

ASPIC DE LÉGUMES CITRONNÉ

INGRÉDIENTS

INGRÉDIENTS	Métrique	Impérial
• Gélatine neutre	1 sachet	1 sachet
Eau froide	50 mL	¼ tasse
Eau bouillante	250 mL	1 tasse
• Sucre	10 mL	2 c. à thé
Jus de citron	25 mL	2 c. à table
Vinaigre de vin	25 mL	2 c. à table
• Chou coupé en filaments	125 mL	½ tasse
Céleri haché finement	250 mL	1 tasse
Poivron vert haché finement	15 mL	1 c. à table
Poivron rouge haché finement	15 mL	1 c. à table
Persil frais haché	15 mL	1 c. à table
• Laitue	4 feuilles	4 feuilles

RENDEMENT : *4 portions*

MODE DE PRÉPARATION

- Faire gonfler la gélatine dans l'eau froide. Ajouter l'eau bouillante et dissoudre la gélatine en brassant.

- Ajouter le sucre, le jus de citron et le vinaigre de vin. Mettre au réfrigérateur jusqu'à consistance de blanc d'œuf (environ 45 minutes).

- Ajouter le chou, le céleri, le poivron vert, le poivron rouge et le persil. Mélanger délicatement. Verser dans des moules de 125 mL (½ tasse) rincés à l'eau froide. Mettre au réfrigérateur jusqu'à consistance ferme. Démouler.

- Servir sur une feuille de laitue.

TEMPS DE PRÉPARATION : *50 minutes*

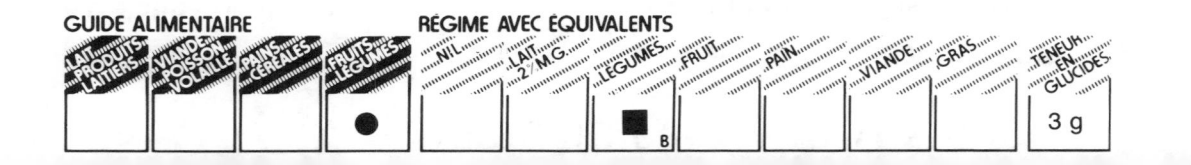

GUIDE ALIMENTAIRE — LAIT PRODUITS LAITIERS / VIANDE POISSON VOLAILLE / PAINS CÉRÉALES / FRUITS LÉGUMES

RÉGIME AVEC ÉQUIVALENTS — NIL / LAIT 2/MG. / LÉGUMES B / FRUIT / PAIN / VIANDE / GRAS / TENEUR EN GLUCIDES 3 g

GASPACHO EN ASPIC

INGRÉDIENTS

	Métrique	Impérial
• **Gélatine neutre**	**20 mL**	**4 c. à thé**
Bouillon de bœuf froid, dégraissé	**250 mL**	**1 tasse**
• **Sel**	**1 mL**	**¼ c. à thé**
Basilic	**0,5 mL**	**⅛ c. à thé**
Poudre d'ail	**0,5 mL**	**⅛ c. à thé**
Vinaigre de vin	**50 mL**	**3 c. à table**
Tomates en conserve, coupées en cubes	**1 boîte de 398 mL**	**1 boîte de 14 onces**
• **Oignons verts hachés**	**25 mL**	**2 c. à table**
Céleri coupé en dés	**50 mL**	**¼ tasse**
Concombre non pelé, coupé en dés	**50 mL**	**¼ tasse**
Poivron vert coupé en dés	**50 mL**	**¼ tasse**
• **Yogourt nature**	**50 mL**	**¼ tasse**

RENDEMENT : *6 portions*

MODE DE PRÉPARATION

- Faire gonfler la gélatine dans le bouillon de bœuf. Chauffer à feu doux en brassant pour dissoudre. Retirer du feu.

- Ajouter les assaisonnements, le vinaigre, les tomates et le liquide des tomates au mélange de gélatine.
  Mettre au réfrigérateur jusqu'à consistance de blanc d'œuf (environ 20 minutes).

- Ajouter l'oignon, le céleri, le concombre et le poivron ; mélanger.
  Verser le mélange dans des moules de 125 mL (½ tasse) rincés à l'eau froide.
  Mettre au réfrigérateur jusqu'à consistance ferme.
  Démouler.

- Garnir de yogourt nature et servir.

TEMPS DE PRÉPARATION : *30 minutes*

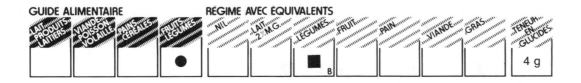

GUIDE ALIMENTAIRE | RÉGIME AVEC ÉQUIVALENTS

LAIT ET PRODUITS LAITIERS	VIANDE POISSON VOLAILLE	PAINS ET CÉRÉALES	FRUITS ET LÉGUMES	NIL	LAIT 2% M.G.	LÉGUMES	FRUIT	PAIN	VIANDE	GRAS	TENEUR EN GLUCIDES
			●			■ B					4 g

GÉLATINE ENSOLEILLÉE

INGRÉDIENTS

	Métrique	Impérial
• **Gélatine neutre**	**1 sachet**	**1 sachet**
Jus d'orange non sucré	**125 mL**	**½ tasse**
• **Sel**	**1 mL**	**¼ c. à thé**
Jus de citron	**45 mL**	**3 c. à table**
Jus d'ananas non sucré	**125 mL**	**½ tasse**
• **Ananas* en morceaux non sucré, égouttés**	**125 mL**	**½ tasse**
Mandarines en sections, égouttées	**125 mL**	**½ tasse**
Carottes râpées grossièrement	**125 mL**	**½ tasse**
Céleri coupé en biseaux	**50 mL**	**¼ tasse**
• **Laitue**	**4 feuilles**	**4 feuilles**

MODE DE PRÉPARATION

- Faire gonfler la gélatine dans le jus d'orange. Chauffer à feu doux en brassant pour dissoudre. Retirer du feu.

- Ajouter le sel et les jus. Mettre au réfrigérateur jusqu'à consistance de blanc d'œuf (environ 20 minutes).

- Ajouter les ananas, les mandarines, les carottes et le céleri au mélange de gélatine. Verser dans un moule de 750 mL (3 tasses) rincé à l'eau froide. Mettre au réfrigérateur jusqu'à consistance ferme. Démouler.

- Servir sur une feuille de laitue.

* Si l'ananas est frais, le cuire jusqu'à tendreté avant d'utiliser.

RENDEMENT : *4 portions*

TEMPS DE PRÉPARATION : *30 minutes*

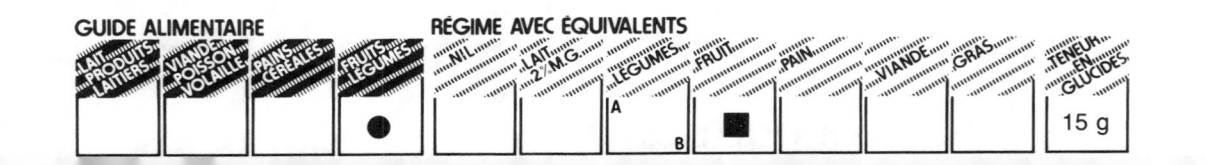

GUIDE ALIMENTAIRE — RÉGIME AVEC ÉQUIVALENTS

BOULE AU FROMAGE

INGRÉDIENTS

	Métrique	Impérial
• **Fromage cottage en brique**	**250 mL**	**1 tasse**
Persil frais haché	**15 mL**	**1 c. à table**
Oignons verts hachés	**50 mL**	**¼ tasse**
Ail haché	**2 gousses**	**2 gousses**
Poivron vert haché	**25 mL**	**2 c. à table**
Sauce anglaise (genre Worcestershire)	**1 mL**	**¼ c. à thé**
Paprika	**1 mL**	**¼ c. à thé**
• **Fromage au lait écrémé, râpé (jaune)**	**375 mL**	**1½ tasse**
• **Persil frais haché**	**75 mL**	**⅓ tasse**
Noix de Grenoble hachées	**75 mL**	**⅓ tasse**

Variante : Boule au fromage et aux fruits de mer

• **Crevettes cuites ou crabe des neiges cuit**	**125 mL**	**½ tasse**

RENDEMENT : *10 portions*

MODE DE PRÉPARATION

- Déposer les 7 premiers ingrédients dans le bol du batteur électrique.
  Mélanger à vitesse lente pendant 3 minutes.

- Ajouter le fromage.
  Bien mélanger jusqu'à l'obtention d'une texture homogène.
  Façonner en une boule et réfrigérer 15 minutes.

- Mélanger le persil et les noix, puis déposer dans une assiette.
  Y rouler la boule.

- Ajouter au même moment que le fromage au lait écrémé.

TEMPS DE PRÉPARATION : *35 minutes*

23

CRETONS ALEXANDRA

INGRÉDIENTS

	Métrique	Impérial
● **Porc dans l'épaule désossé**	**500 g**	**1 lb**
Oignon entier, pelé	1 moyen	1 moyen
Sel	5 mL	1 c. à thé
Poivre	2 mL	½ c. à thé
● **Dinde cuite***	**750 mL**	**3 tasses**
Oignon tranché	1 moyen	1 moyen
● **Gingembre**	**1 mL**	**¼ c. à thé**
Épices mélangées	2 mL	½ c. à thé
Clou de girofle moulu	1 pincée	1 pincée

MODE DE PRÉPARATION

● Déposer le porc, l'oignon entier, le sel et le poivre dans un grand chaudron.
Ajouter de l'eau jusqu'à égalité de la viande.
Cuire à feu doux jusqu'à ce que la viande soit tendre (environ 2 heures). Retirer l'oignon.
Couler le bouillon ; réfrigérer et dégraisser.

● Passer la dinde, l'oignon tranché et le porc cuit au hache-viande.

● Ajouter les épices et le bouillon (875 mL ou 3½ tasses).
Cuire à découvert, à feu moyen jusqu'à ce que l'eau soit complètement évaporée.
Brasser au cours de la cuisson pour éviter que la viande ne colle.

* Voilà une façon originale, saine et délicieuse d'employer les surplus de dinde cuite.

RENDEMENT : *28 portions de 25 mL (2 c. à table)*

TEMPS DE PRÉPARATION : *15 minutes*
TEMPS DE CUISSON : *3 heures et plus*

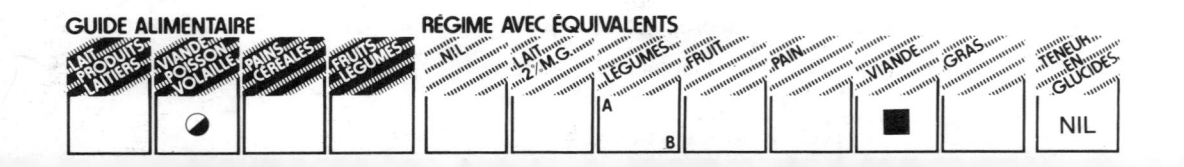

I. ENTRÉES

GARNITURE AU MAQUEREAU

INGRÉDIENTS

	Métrique	Impérial
• **Maquereau en conserve**	**1 boîte de 198 g**	**1 boîte de 7 onces**
• **Oignons verts hachés**	**2**	**2**
Jus de citron	**20 mL**	**4 c. à thé**
Yogourt nature	**25 mL**	**2 c. à table**
Graines d'aneth	**1 mL**	**¼ c. à thé**

RENDEMENT : *5 portions de 45 mL (3 c. à table)*

MODE DE PRÉPARATION

- Rincer le poisson à l'eau pour enlever l'excès de gras.

- Mélanger les oignons verts, le jus de citron, le yogourt, les graines d'aneth et le poisson. Passer au mélangeur jusqu'à l'obtention d'une texture homogène.

  Servir avec des crudités ou sur des biscottes de blé entier (voir p.194)

TEMPS DE PRÉPARATION : *15 minutes*

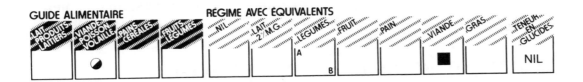

GUIDE ALIMENTAIRE — LAIT PRODUITS LAITIERS — VIANDE POISSON VOLAILLE — PAINS CÉRÉALES — FRUITS LÉGUMES

RÉGIME AVEC ÉQUIVALENTS — NIL — LAIT 2% M.G. — LÉGUMES A — FRUIT B — PAIN — VIANDE — GRAS — TENEUR EN GLUCIDES NIL

PAMPLEMOUSSES FARCIS AUX CREVETTES

INGRÉDIENTS

	Métrique	Impérial
• **Pamplemousses roses coupés en deux**	2 petits	2 petits
• **Crevettes cuites**	175 mL	¾ tasse
Céleri haché	250 mL	1 tasse
Carottes râpées grossièrement	50 mL	¼ tasse
• *Sauce*		
Sauce à salade (genre mayonnaise)	25 mL	2 c. à table
Yogourt nature	25 mL	2 c. à table
Thym	2 mL	½ c. à thé
• **Laitue**	4 feuilles	4 feuilles

RENDEMENT : *4 portions*

MODE DE PRÉPARATION

- Retirer la chair des pamplemousses et la couper en dés.
  Retirer les membranes des écorces.

- Mélanger la chair de pamplemousse, les crevettes, le céleri et les carottes.

- *Sauce*
  Mélanger tous les ingrédients.
  Ajouter au mélange de pamplemousse.
  Bien mélanger.
  En farcir les demi-pamplemousses.

- Servir sur une feuille de laitue

TEMPS DE PRÉPARATION : *25 minutes*

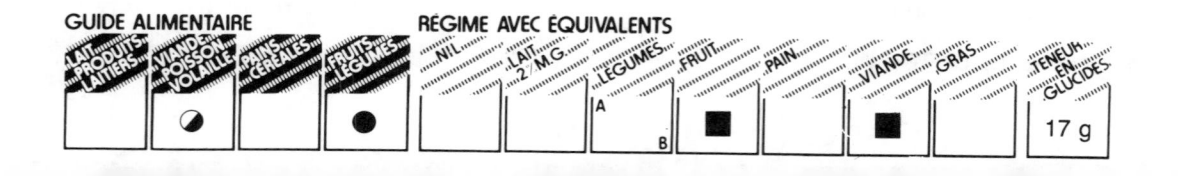

GUIDE ALIMENTAIRE

LAIT PRODUITS LAITIERS / VIANDE POISSON VOLAILLE / PAINS CÉRÉALES / FRUITS LÉGUMES

RÉGIME AVEC ÉQUIVALENTS

NIL / LAIT 2 / M.G. / LÉGUMES A / FRUIT B / PAIN / VIANDE / GRAS / TENEUR EN GLUCIDES 17 g

PÂTÉ D'AGNEAU

INGRÉDIENTS

	Métrique	Impérial
• Agneau cuit*	500 mL	2 tasses
• Bouillon de poulet ou d'agneau dégraissé	250 mL	1 tasse
Sel	2 mL	½ c. à thé
Poivre	1 pincée	1 pincée
Moutarde de Dijon	25 mL	2 c. à table
Romarin ou thym	0,5 mL	⅛ c. à thé

* Voilà une façon originale d'employer les surplus d'agneau cuit.

RENDEMENT : *16 portions de 25 mL (2 c. à table)*

MODE DE PRÉPARATION

- Passer l'agneau au hache-viande.

- Mélanger tous les ingrédients à l'agneau.
  Presser dans un moule à pain.
  Couvrir d'un papier ciré.
  Mettre au réfrigérateur de 10 à 12 heures.

TEMPS DE PRÉPARATION : *25 minutes*

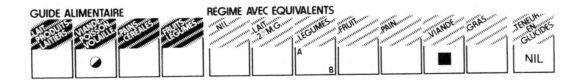

GUIDE ALIMENTAIRE — LAIT ET PRODUITS LAITIERS — VIANDE, POISSON, VOLAILLE — PAINS ET CÉRÉALES — FRUITS ET LÉGUMES

RÉGIME AVEC ÉQUIVALENTS — NIL — LAIT 2% M.G. — LÉGUMES A B — FRUIT — PAIN — VIANDE — GRAS — TENEUR EN GLUCIDES NIL

PÂTÉ DE FOIE

INGRÉDIENTS

	Métrique	Impérial
• Huile	15 mL	1 c. à table
Foies de poulet	250 g	½ lb
Oeufs cuits dur, hachés	2	2
Oignon haché	25 mL	2 c. à table
Ail haché	1 gousse	1 gousse
Sel	2 mL	½ c. à thé

MODE DE PRÉPARATION

• Chauffer l'huile dans un poêlon.
Sauter les foies de poulet à feu moyen environ 5 minutes.
Passer tous les ingrédients au mélangeur jusqu'à l'obtention d'une texture homogène et onctueuse.
Réfrigérer.

Servir avec des crudités ou sur des craquelins.

Note : L'addition d'un soupçon d'estragon, de romarin ou de cognac fera toute la différence d'une fois à l'autre...

RENDEMENT : *8 portions de 25 mL (2 c. à table)*

TEMPS DE PRÉPARATION : *10 minutes*
TEMPS DE CUISSON : *5 à 10 minutes*

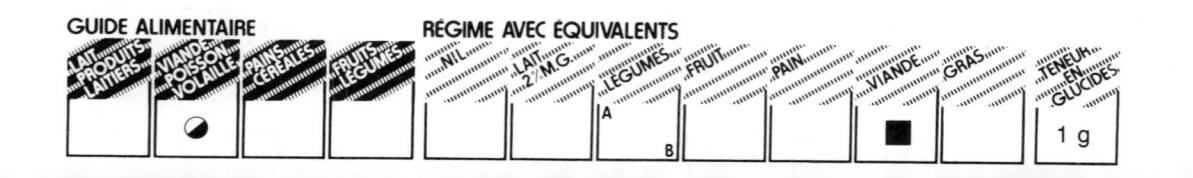

GUIDE ALIMENTAIRE

LAIT PRODUITS LAITIERS	VIANDE POISSON VOLAILLE	PAINS CÉRÉALES	FRUITS LÉGUMES
	◖		

RÉGIME AVEC ÉQUIVALENTS

NIL	LAIT 2% M.G.	LÉGUMES	FRUIT	PAIN	VIANDE	GRAS	TENEUR EN GLUCIDES
		A ... B			■		1 g

PÂTÉ DE POIS CHICHES

INGRÉDIENTS

	Métrique	Impérial
● Pois chiches secs	75 mL	⅓ tasse
ou		
Pois chiches en conserve, égouttés	175 mL	¾ tasse
Poudre d'oignon	2 mL	½ c. à thé
Sarriette	1 mL	¼ c. à thé
Sel	2 mL	½ c. à thé
Basilic	1 mL	¼ c. à thé
Laurier	1 feuille	1 feuille
● Huile	5 mL	1 c. à thé
Ail haché	1 gousse	1 gousse
Oignon haché	1 moyen	1 moyen
Thym	1 mL	¼ c. à thé
Coriandre	1 grain	1 grain
Muscade	1 pincée	1 pincée
Purée de tomates	10 mL	2 c. à thé

MODE DE PRÉPARATION

● Cuire les pois chiches secs, selon la méthode indiquée à la page 236, en ajoutant les assaisonnements à l'eau de cuisson.

● Chauffer l'huile dans un poêlon.
Y faire sauter l'ail et l'oignon.

Mettre les pois chiches, l'ail, l'oignon, les assaisonnements et la purée de tomates dans le récipient du mélangeur.
Mélanger jusqu'à l'obtention d'une texture homogène.

Servir avec des crudités ou sur des craquelins.

RENDEMENT : *6 portions de 25 mL (2 c. à table)*

TEMPS DE PRÉPARATION : *10 minutes*
TEMPS DE CUISSON : *5 minutes*
(pois chiches secs : 2 heures)

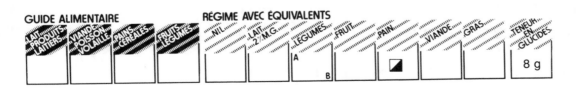

GUIDE ALIMENTAIRE — LAIT-PRODUITS LAITIERS, VIANDE-POISSON-VOLAILLE, PAINS-CÉRÉALES, FRUITS-LÉGUMES

RÉGIME AVEC ÉQUIVALENTS — N'IL, LAIT 2% M.G., LÉGUMES A, FRUIT B, PAIN, VIANDE, GRAS, TENEUR EN GLUCIDES 8 g

INGRÉDIENTS

	Métrique	Impérial
● **Soya**	**75 mL**	**⅓ tasse**
● **Huile**	**5 mL**	**1 c. à thé**
Oignon haché	**25 mL**	**2 c. à table**
● **Sel**	**2 mL**	**½ c. à thé**
Purée de tomates	**5 mL**	**1 c. à thé**
Poivron vert haché	**25 mL**	**2 c. à table**

RENDEMENT : *12 portions de 15 mL (1 c. à table)*

MODE DE PRÉPARATION

● Cuire le soya selon la méthode indiquée à la page 236.

● Chauffer l'huile dans un poêlon.
Faire revenir les oignons à feu moyen jusqu'à ce qu'ils soient tendres et transparents.

● Mélanger le sel, la purée de tomates, le poivron vert, l'oignon et le soya.
Passer au mélangeur jusqu'à l'obtention d'une texture homogène.

Servir avec craquelins ou crudités.

TEMPS DE PRÉPARATION : *15 minutes*
TEMPS DE CUISSON : *3 heures*

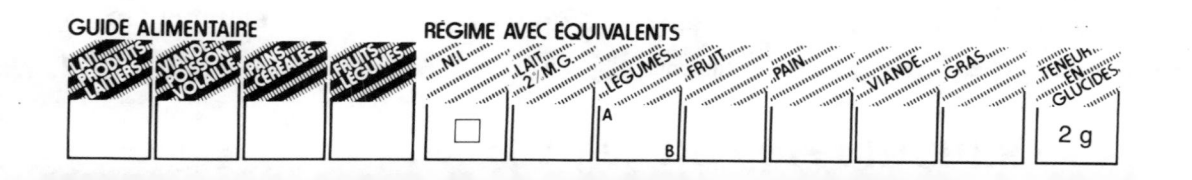

GUIDE ALIMENTAIRE

LAIT PRODUITS LAITIERS | VIANDE POISSON VOLAILLE | PAINS CÉRÉALES | FRUITS LÉGUMES

RÉGIME AVEC ÉQUIVALENTS

NIL | LAIT 2% M.G. | LÉGUMES | FRUIT | PAIN | VIANDE | GRAS | TENEUR EN GLUCIDES

A | B | | | | | 2 g

SALADE AUX GERMES DE HARICOTS MUNGO ET AUX CAROTTES

INGRÉDIENTS

	Métrique	Impérial
• Carottes râpées	250 mL	1 tasse
Germes de haricots mungo	250 mL	1 tasse
Céleri coupé en dés	250 mL	1 tasse
Jus de citron	5 mL	1 c. à thé
• Jus d'oignon	5 mL	1 c. à thé
Sel	au goût	au goût
Sauce piquante au yogourt (voir p.214)	25 mL	2 c. à table
• Laitue	5 feuilles	5 feuilles

RENDEMENT : *5 portions*

MODE DE PRÉPARATION

- Mélanger les légumes et le jus de citron. Réfrigérer.

- Mélanger le jus d'oignon, le sel et la sauce piquante au yogourt.
  Juste avant de servir, mélanger la sauce et les légumes.

- Servir sur une feuille de laitue.

TEMPS DE PRÉPARATION : *15 minutes*

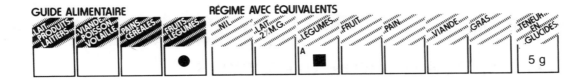

GUIDE ALIMENTAIRE — RÉGIME AVEC ÉQUIVALENTS

LAIT PRODUITS LAITIERS | VIANDE POISSON VOLAILLE | PAINS CÉRÉALES | FRUITS LÉGUMES | NIL | LAIT 2% M.G. | LÉGUMES | FRUIT | PAIN | VIANDE | GRAS | TENEUR EN GLUCIDES

5 g

SALADE AUX POMMES ET AUX RAISINS

INGRÉDIENTS

	Métrique	Impérial
Sauce		
● **Fromage cottage**	15 mL	1 c. à table
Yogourt nature	25 mL	2 c. à table
Menthe (facultatif)	5 mL	1 c. à thé
● **Pommes coupées en dés**	2 moyennes	2 moyennes
Jus de citron	15 mL	1 c. à table
Céleri coupé en dés	1 branche	1 branche
Raisins secs	50 mL	¼ tasse
● **Laitue**	4 feuilles	4 feuilles

RENDEMENT : *4 portions*

MODE DE PRÉPARATION

Sauce

● Mélanger tous les ingrédients de la sauce jusqu'à l'obtention d'une texture homogène. Réfrigérer.

● Mélanger les pommes et le jus de citron. Ajouter le céleri, les raisins secs et la sauce ; mélanger.

● Servir sur une feuille de laitue.

TEMPS DE PRÉPARATION : *15 minutes*

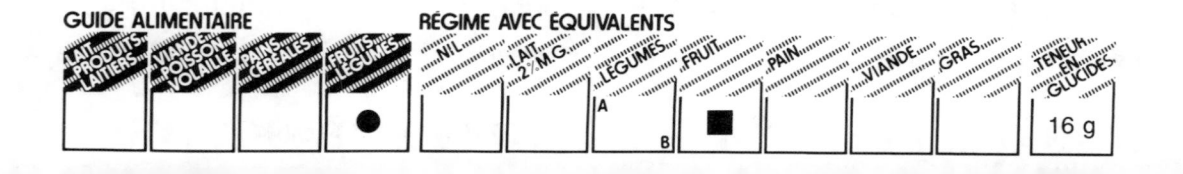

GUIDE ALIMENTAIRE				RÉGIME AVEC ÉQUIVALENTS							
LAIT ET PRODUITS LAITIERS	VIANDE, POISSON, VOLAILLE	PAINS ET CÉRÉALES	FRUITS ET LÉGUMES	NIL	LAIT 2% M.G.	LÉGUMES	FRUIT	PAIN	VIANDE	GRAS	TENEUR EN GLUCIDES
			●			A / B	■				16 g

SALADE D'AVOCAT ET D'ÉPINARDS

INGRÉDIENTS

	Métrique	Impérial
● Avocat mûr, pelé	½ moyen	½ moyen
● Épinards frais	1 paquet de 284 g	1 paquet de 10 onces
Oeufs cuits dur, coupés en quatre	2	2
Croûtons à l'ail	125 mL	½ tasse
Oignon coupé en rondelles	1 petit	1 petit
Fromage suisse coupé en lamelles	60 g	2 onces

RENDEMENT : *4 portions*

MODE DE PRÉPARATION

● Couper la moitié d'avocat en tranches minces.

● Mélanger délicatement l'avocat, les épinards et les autres ingrédients.

Servir avec de la vinaigrette piquante (voir p.201)

TEMPS DE PRÉPARATION : *15 minutes*

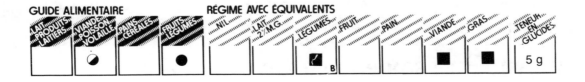

GUIDE ALIMENTAIRE				RÉGIME AVEC ÉQUIVALENTS							
LAIT PRODUITS LAITIERS	VIANDE POISSON VOLAILLE	PAINS CÉRÉALES	FRUITS LÉGUMES	NIL	LAIT 2% M.G.	LÉGUMES	FRUIT	PAIN	VIANDE	GRAS	TENEUR EN GLUCIDES
	◖		●			◣ B			■	■	5 g

SALADE D'ÉPINARDS ET D'ORANGE

INGRÉDIENTS

	Métrique	Impérial
● **Épinards frais**	**1 paquet de 284 g**	**1 paquet de 10 onces**
Orange pelée, en sections	**1 moyenne**	**1 moyenne**

RENDEMENT : *4 portions*

MODE DE PRÉPARATION

● Mélanger les épinards et l'orange.

● Servir avec de la vinaigrette exotique (voir p. 200)

TEMPS DE PRÉPARATION : *15 minutes.*

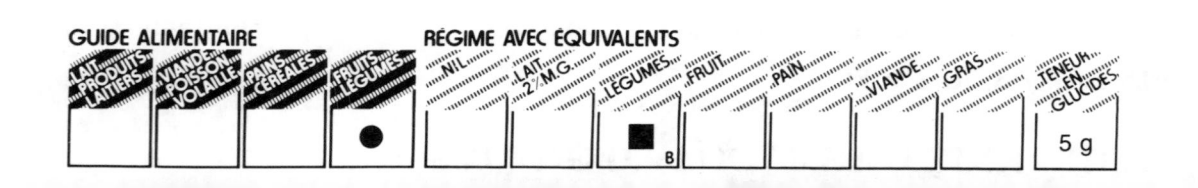

GUIDE ALIMENTAIRE

LAIT PRODUITS LAITIERS | VIANDE POISSON VOLAILLE | PAINS CÉRÉALES | FRUITS LÉGUMES ●

RÉGIME AVEC ÉQUIVALENTS

NIL | LAIT 2% M.G. | LÉGUMES ■ B | FRUIT | PAIN | VIANDE | GRAS | TENEUR EN GLUCIDES 5 g

SALADE DE BETTERAVES

INGRÉDIENTS

	Métrique	Impérial
• **Betteraves cuites, tranchées mince**	500 mL	2 tasses
Oignons verts hachés	2	2

Vinaigrette

	Métrique	Impérial
• **Huile**	20 mL	4 c. à thé
Sel	2 mL	½ c. à thé
Poivre	1 pincée	1 pincée
Vinaigre de vin	25 mL	2 c. à table

RENDEMENT : *4 portions*

MODE DE PRÉPARATION

• Mélanger les betteraves et les oignons.

Vinaigrette

• Mélanger les ingrédients.
Verser sur les légumes ; mélanger.

Mettre au réfrigérateur au moins 1 heure avant de servir.

TEMPS DE PRÉPARATION : *15 minutes*

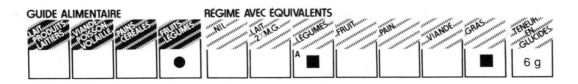

GUIDE ALIMENTAIRE | RÉGIME AVEC ÉQUIVALENTS

LAIT PRODUITS LAITIERS | VIANDE POISSON VOLAILLE | PAINS CÉRÉALES | FRUITS LÉGUMES | NIL | LAIT 2% M.G. | LÉGUMES | FRUIT | PAIN | VIANDE | GRAS | TENEUR EN GLUCIDES

6 g

INGRÉDIENTS

	Métrique	Impérial
Carottes râpées	**2 grosses**	**2 grosses**
Poivron vert coupé en dés	**1 moyen**	**1 moyen**
Germes de luzerne	**250 mL**	**1 tasse**
Thym	**2 mL**	**½ c. à thé**

RENDEMENT : *4 portions*

MODE DE PRÉPARATION

- Mélanger les carottes, le poivron, les germes de luzerne et le thym.

Servir avec de la vinaigrette crémeuse au yogourt (voir p.200).

TEMPS DE PRÉPARATION : *20 minutes*

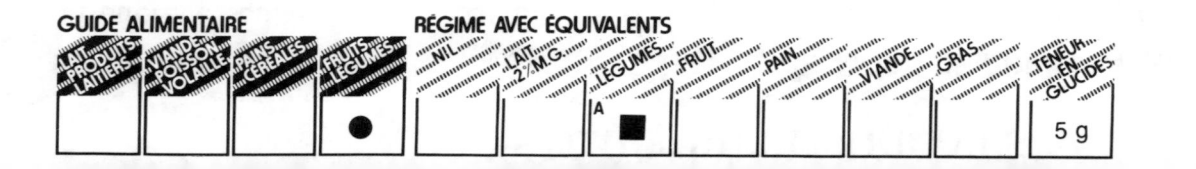

GUIDE ALIMENTAIRE

LAIT PRODUITS LAITIERS — VIANDE POISSON VOLAILLE — PAINS CÉRÉALES — FRUITS LÉGUMES ●

RÉGIME AVEC ÉQUIVALENTS

NIL — LAIT 2% M.G. — LÉGUMES A ■ — FRUIT — PAIN — VIANDE — GRAS — TENEUR EN GLUCIDES 5 g

SALADE DE CONCOMBRES ET DE CHAMPIGNONS

INGRÉDIENTS

	Métrique	Impérial
• Concombres tranchés mince	2 moyens	2 moyens
Ciboulette fraîche hachée	50 mL	¼ tasse
ou déshydratée	15 mL	1 c. à table
Champignons émincés	125 mL	½ tasse

Sauce

	Métrique	Impérial
• Yogourt nature	125 mL	½ tasse
Jus de citron	15 mL	1 c. à table
Sel	1 mL	¼ c. à thé
Poivre	1 pincée	1 pincée

RENDEMENT : *4 portions*

MODE DE PRÉPARATION

• Mélanger les concombres, la ciboulette et les champignons.

Sauce

• Mélanger tous les ingrédients.
Verser sur les légumes ; mélanger.

Mettre au réfrigérateur au moins 1 heure avant de servir.

TEMPS DE PRÉPARATION : *20 minutes*

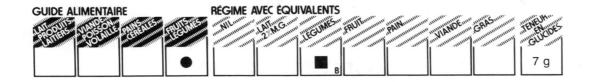

37

SALADE DE HARICOTS VERTS ET DE NOIX

INGRÉDIENTS

	Métrique	Impérial
• **Haricots verts coupés en biseaux**	**500 mL**	**2 tasses**
Sauce		
• **Yogourt nature**	**50 mL**	**¼ tasse**
Huile	**5 mL**	**1 c. à thé**
Ail émincé	**1 gousse**	**1 gousse**
Aneth en grains (facultatif)	**1 mL**	**¼ c. à thé**
Sel	**0,5 mL**	**⅛ c. à thé**
• **Noix de Grenoble hachées**	**50 mL**	**¼ tasse**

RENDEMENT : *4 portions*

MODE DE PRÉPARATION

- Cuire les haricots jusqu'à ce qu'ils soient tendres mais encore croquants.
  Rincer à l'eau froide ; égoutter et assécher.

Sauce

- Mélanger tous les ingrédients de la sauce.

- Mélanger les haricots, les noix et la sauce au yogourt.
  Mettre au réfrigérateur au moins 1 heure avant de servir.

TEMPS DE PRÉPARATION : *15 minutes*
TEMPS DE CUISSON : *10 à 15 minutes*

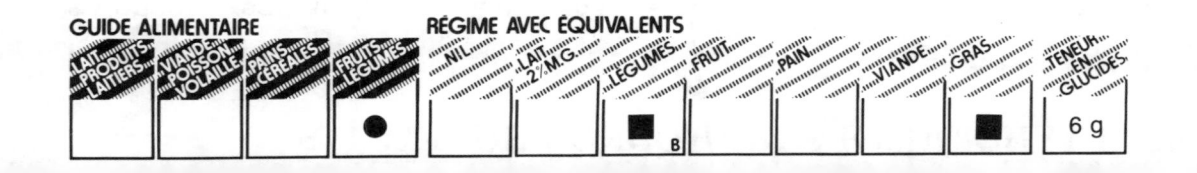

GUIDE ALIMENTAIRE — LAIT PRODUITS LAITIERS / VIANDE ET POISSON VOLAILLE / PAINS CÉRÉALES / FRUITS LÉGUMES

RÉGIME AVEC ÉQUIVALENTS — NIL / LAIT 2% M.G. / LÉGUMES / FRUIT / PAIN / VIANDE / GRAS / TENEUR EN GLUCIDES : 6 g

SALADE DE TOMATES

INGRÉDIENTS

	Métrique	Impérial
• Tomates coupées en cubes	4 moyennes	4 moyennes
Oignons verts hachés	2	2
Persil frais haché	15 mL	1 c. à table

MODE DE PRÉPARATION

• Mélanger tous les ingrédients.

Servir avec de la vinaigrette piquante (voir p.201).

Note : L'addition d'un soupçon de menthe rehaussera encore davantage le goût de cette salade.

RENDEMENT : *4 portions*

TEMPS DE PRÉPARATION : *15 minutes*

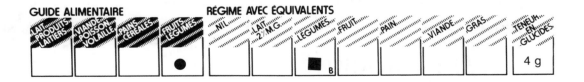

GUIDE ALIMENTAIRE — PRODUITS LAITIERS / VIANDE POISSON VOLAILLE / PAINS CÉRÉALES / FRUITS LÉGUMES

RÉGIME AVEC ÉQUIVALENTS — NIL / LAIT 2% M.G. / LÉGUMES B / FRUIT / PAIN / VIANDE / GRAS / TENEUR EN GLUCIDES 4 g

INGRÉDIENTS

	Métrique	Impérial
● **Laitue déchiquetée**	**750 mL**	**3 tasses**
Tomates coupées en quartiers	**2 moyennes**	**2 moyennes**
Concombre tranché	**125 mL**	**½ tasse**
Oignons verts hachés	**125 mL**	**½ tasse**
Radis tranchés	**125 mL**	**½ tasse**
Poivron vert coupé en dés	**75 mL**	**⅓ tasse**
Sel	**2 mL**	**½ c. à thé**
Poivre	**1 mL**	**¼ c. à thé**

RENDEMENT : *4 portions*

MODE DE PRÉPARATION

● Mélanger délicatement tous les ingrédients.

Servir avec de la vinaigrette russe (voir p.203).

TEMPS DE PRÉPARATION : *20 minutes*

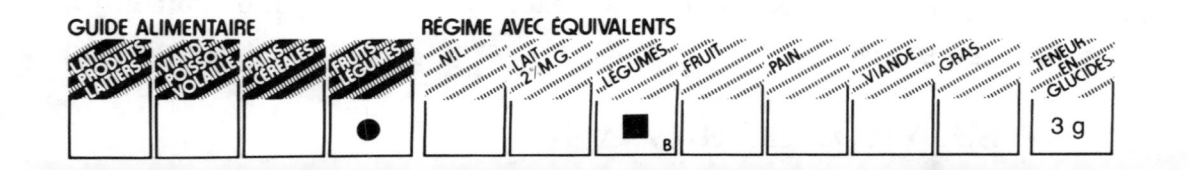

GUIDE ALIMENTAIRE — LAIT PRODUITS LAITIERS / VIANDE POISSON VOLAILLE / PAINS CÉRÉALES / FRUITS LÉGUMES ●

RÉGIME AVEC ÉQUIVALENTS — NIL / LAIT 2/ M.G. / LÉGUMES ■ B / FRUIT / PAIN / VIANDE / GRAS / TENEUR EN GLUCIDES 3 g

SALADE ITALIENNE AUX HARICOTS VERTS

INGRÉDIENTS	Métrique	Impérial
● Haricots verts coupés en biseaux	500 mL	2 tasses
● Huile	5 mL	1 c. à thé
Oignon tranché	1 moyen	1 moyen

Vinaigrette

	Métrique	Impérial
● Vinaigre de vin	25 mL	2 c. à table
Sel	1 mL	¼ c. à thé
Sel de céleri	1 mL	¼ c. à thé
Curcuma	1 pincée	1 pincée
Poivre	1 pincée	1 pincée
● Poivron rouge coupé en dés	25 mL	2 c. à table
● Laitue	4 feuilles	4 feuilles

RENDEMENT : *4 portions*

MODE DE PRÉPARATION

● Cuire les haricots jusqu'à ce qu'ils soient tendres mais encore croquants.
Rincer à l'eau froide ; égoutter et assécher. Réfrigérer.

● Chauffer l'huile dans un poêlon.
Faire sauter l'oignon à feu moyen jusqu'à ce qu'il soit tendre et transparent.

Vinaigrette

● Mélanger tous les ingrédients.

● Verser la vinaigrette sur les haricots froids. Ajouter le poivron et l'oignon cuit. Bien mélanger.

● Servir sur une feuille de laitue.

TEMPS DE PRÉPARATION : *15 minutes*
TEMPS DE CUISSON : *10 à 15 minutes*

GUIDE ALIMENTAIRE

LAIT PRODUITS LAITIERS	VIANDE POISSON VOLAILLE	PAIN CÉRÉALES	FRUITS LÉGUMES
			●

RÉGIME AVEC ÉQUIVALENTS

NIL	LAIT 2% M.G.	LÉGUMES	FRUIT	PAIN	VIANDE	GRAS	TENEUR EN GLUCIDES
		■ B					7 g

BOUILLON DE BŒUF

INGRÉDIENTS

	Métrique	Impérial
● **Eau**	**5 L**	**4 pintes**
Os de bœuf	**2 kg**	**4 lb**
● **Oignon non pelé**	**1 moyen**	**1 moyen**
Clous de girofle entiers	**4**	**4**
Ail non pelé	**4 gousses**	**4 gousses**
Persil	**2 tiges**	**2 tiges**
Carottes	**2 moyennes**	**2 moyennes**
Céleri avec feuilles	**1 branche**	**1 branche**
Laurier	**1 feuille**	**1 feuille**
Poivre non moulu	**6 grains**	**6 grains**
Sel	**5 mL**	**1 c. à thé**

RENDEMENT : *14 portions*

MODE DE PRÉPARATION

● Verser l'eau dans une grande marmite et ajouter les os.
Amener à ébullition.
Réduire l'intensité du feu.
Laisser mijoter à découvert environ 2 heures.
Écumer de 2 à 3 fois au cours de la cuisson.

● Piquer l'oignon avec les clous de girofle.
Ajouter tous les ingrédients au bouillon.
Laisser mijoter à découvert 1½ heure de plus.
Couler et réfrigérer.
Dégraisser avant d'utiliser.

TEMPS DE PRÉPARATION : *10 minutes*
TEMPS DE CUISSON : *3 heures 30 minutes*

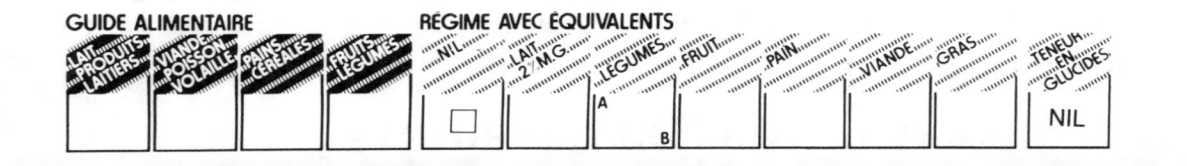

BOUILLON DE LÉGUMES

INGRÉDIENTS

	Métrique	Impérial
• **Bouillon de bœuf dégraissé**	**750 mL**	**3 tasses**
Carottes hachées finement	**50 mL**	**¼ tasse**
Céleri haché finement	**50 mL**	**¼ tasse**
Oignon haché finement	**25 mL**	**2 c. à table**
Persil frais haché	**15 mL**	**1 c. à table**
Haricots verts hachés	**125 mL**	**½ tasse**
Sel	**2 mL**	**½ c. à thé**
Poivre	**1 pincée**	**1 pincée**

RENDEMENT : *4 portions*

MODE DE PRÉPARATION

- Faire chauffer le bouillon de bœuf (voir p. 42). Ajouter les légumes et les assaisonnements. Cuire à feu moyen environ 15 minutes ou jusqu'à ce que les légumes soient tendres.

TEMPS DE PRÉPARATION : *15 minutes*
TEMPS DE CUISSON : *20 minutes*

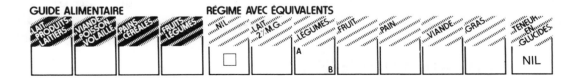

GUIDE ALIMENTAIRE — LAIT PRODUITS LAITIERS — VIANDE POISSON VOLAILLE — PAINS CÉRÉALES — FRUITS LÉGUMES

RÉGIME AVEC ÉQUIVALENTS — NIL — LAIT 2/M.G. — LÉGUMES — FRUIT — PAIN — VIANDE — GRAS — TENEUR EN GLUCIDES

A B NIL

INGRÉDIENTS

	Métrique	Impérial
• Brocoli coupé en morceaux de 1,5 cm (½ pouce)	1 L	4 tasses
• Lait 2% M.G.	500 mL	2 tasses
Sel	2 mL	½ c. à thé
Poivre	au goût	au goût
Thym	0,5 mL	⅛ c. à thé

RENDEMENT : *4 portions*

MODE DE PRÉPARATION

- Cuire le brocoli jusqu'à ce qu'il soit tendre (10 minutes).
  Égoutter et réduire en purée au mélangeur.

- Faire chauffer le lait légèrement.
  Ajouter la purée de brocoli au lait chaud.
  Assaisonner.
  Brasser pour obtenir une crème homogène.

TEMPS DE PRÉPARATION : *10 minutes*
TEMPS DE CUISSON : *15 minutes*

GUIDE ALIMENTAIRE · LAIT PRODUITS LAITIERS · VIANDE POISSON VOLAILLE · PAINS CÉRÉALES · FRUITS LÉGUMES

RÉGIME AVEC ÉQUIVALENTS · NIL · LAIT 2% M.G. · LÉGUMES · FRUIT · PAIN · VIANDE · GRAS · TENEUR EN GLUCIDES

14 g

CRÈME DE CAROTTES

INGRÉDIENTS

	Métrique	Impérial
• Carottes tranchées	4 moyennes	4 moyennes
• Lait 2% M.G.	500 mL	2 tasses
Sarriette	1 pincée	1 pincée
Sel	au goût	au goût
Poivre	au goût	au goût
• Persil frais	au goût	au goût

RENDEMENT : *4 portions*

MODE DE PRÉPARATION

- Cuire les carottes jusqu'à ce qu'elles soient tendres (10 minutes).

- Faire chauffer le lait légèrement.
  Ajouter la purée de carottes au lait chaud.
  Assaisonner.
  Brasser pour obtenir une crème homogène.

- Décorer d'un bouquet de persil et servir.

TEMPS DE PRÉPARATION : *15 minutes*
TEMPS DE CUISSON : *15 minutes*

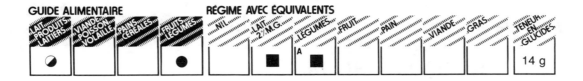

GUIDE ALIMENTAIRE — LAIT PRODUITS LAITIERS — VIANDE POISSON VOLAILLE — PAINS CÉRÉALES — FRUITS LÉGUMES

RÉGIME AVEC ÉQUIVALENTS — NIL — LAIT 2% M.G. — LÉGUMES — FRUIT — PAIN — VIANDE — GRAS — TENEUR EN GLUCIDES : 14 g

CRÈME DE CÉLERI

INGRÉDIENTS	Métrique	Impérial
● **Céleri haché**	**6 à 8 branches**	**6 à 8 branches**
● **Lait 2% M.G.**	**500 mL**	**2 tasses**
Céleri haché finement	**125 mL**	**½ tasse**
Sel	**5 mL**	**1 c. à thé**
Poivre	**au goût**	**au goût**
Cerfeuil	**1 pincée**	**1 pincée**
● **Germe de blé**	**au goût**	**au goût**

RENDEMENT : *4 portions*

MODE DE PRÉPARATION

- Cuire le céleri jusqu'à ce qu'il soit tendre (10 minutes).
  Égoutter.
  Réduire en purée au mélangeur (devrait donner 375 mL (1½ tasse)).

- Faire chauffer le lait légèrement.
  Ajouter la purée de céleri au lait chaud.
  Brasser pour obtenir une crème homogène.
  Ajouter le céleri haché.
  Assaisonner.
  Cuire à découvert 5 minutes.

- Saupoudrer de germe de blé avant de servir.

TEMPS DE PRÉPARATION : *5 minutes*
TEMPS DE CUISSON : *15 minutes*

GUIDE ALIMENTAIRE

LAIT PRODUITS LAITIERS	VIANDE POISSON VOLAILLE	PAINS CÉRÉALES	FRUITS LÉGUMES
◐			●

RÉGIME AVEC ÉQUIVALENTS

NIL	LAIT 2% M.G.	LÉGUMES	FRUIT	PAIN	VIANDE	GRAS	TENEUR EN GLUCIDES
	■	■ B					9 g

CRÈME DE COURGETTES

INGRÉDIENTS

	Métrique	Impérial
• **Courgettes tranchées mince**	**2 moyennes**	**2 moyennes**
Bouillon de poulet dégraissé	**1 L**	**4 tasses**
Sel	**au goût**	**au goût**
Poivre	**au goût**	**au goût**
• **Zestes de citron**	**15 mL**	**1 c. à table**
Yogourt nature	**50 mL**	**¼ tasse**
• **Persil frais**	**au goût**	**au goût**

RENDEMENT : *4 portions*

MODE DE PRÉPARATION

- Cuire les courgettes dans le bouillon de poulet à feu doux, 10 minutes.
  Réduire en purée au mélangeur.
  Assaisonner.

- Ajouter les zestes de citron et le yogourt.
  Mélanger pour obtenir une crème homogène.

- Décorer d'un bouquet de persil et servir.

TEMPS DE PRÉPARATION : *15 minutes*
TEMPS DE CUISSON : *10 à 15 minutes*

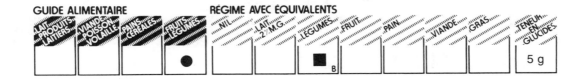

GUIDE ALIMENTAIRE — LAIT ET PRODUITS LAITIERS / VIANDE ET POISSON VOLAILLE / PAINS ET CÉRÉALES / FRUITS ET LÉGUMES ●

RÉGIME AVEC ÉQUIVALENTS — NIL / LAIT 2% M.G. / LÉGUMES ■ B / FRUIT / PAIN / VIANDE / GRAS / TENEUR EN GLUCIDES 5 g

CRÈME DE MAÏS

INGRÉDIENTS	Métrique	Impérial
• Maïs en grains	375 mL	1½ tasse
• Lait 2% M.G.	500 mL	2 tasses
Sel	au goût	au goût
Poivre	au goût	au goût
• Chapelure de pain	15 mL	1 c. à table
Ciboulette	au goût	au goût

RENDEMENT : *4 portions*

MODE DE PRÉPARATION

- Réduire le maïs en purée au mélangeur.

- Faire chauffer le lait légèrement.
  Ajouter la purée de maïs.
  Assaisonner.
  Brasser pour obtenir une crème homogène.

- Saupoudrer de chapelure et de ciboulette.
  Servir.

TEMPS DE PRÉPARATION : *10 minutes*
TEMPS DE CUISSON : *10 minutes*

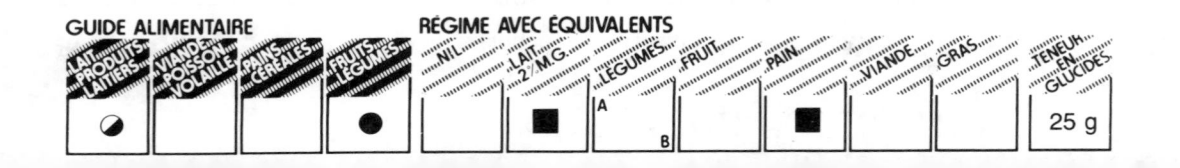

GUIDE ALIMENTAIRE

LAIT PRODUITS LAITIERS | VIANDE POISSON VOLAILLE | PAINS CÉRÉALES | FRUITS LÉGUMES

RÉGIME AVEC ÉQUIVALENTS

NIL | LAIT 2/ M.G. | LÉGUMES | FRUIT | PAIN | VIANDE | GRAS | TENEUR EN GLUCIDES

A | B | 25 g

POTAGE D'AUTOMNE

INGRÉDIENTS

	Métrique	Impérial
• Bouillon de poulet dégraissé	50 mL	¼ tasse
Pomme pelée, hachée	1 moyenne	1 moyenne
Pomme de terre pelée, hachée	1 petite	1 petite
Poireau haché	1 petit	1 petit
Oignon haché	1 moyen	1 moyen
Céleri haché	1 branche	1 branche
Épinards	250 mL	1 tasse
• Bouillon de poulet dégraissé	500 mL	2 tasses
Sel	5 mL	1 c. à thé
Poivre	1 pincée	1 pincée
Muscade	1 pincée	1 pincée
Cannelle	1 pincée	1 pincée
• Lait 2% M.G.	50 mL	¼ tasse

MODE DE PRÉPARATION

- Cuire la pomme et les légumes dans le bouillon à feu doux 3 minutes.

- Ajouter le bouillon et les assaisonnements. Laisser mijoter jusqu'à ce que les légumes soient bien cuits (environ 30 minutes). Passer la préparation chaude au mélangeur jusqu'à l'obtention d'une texture homogène.

- Ajouter le lait. Réchauffer et servir.

RENDEMENT : *6 portions*

TEMPS DE PRÉPARATION : *35 minutes*
TEMPS DE CUISSON : *35 minutes*

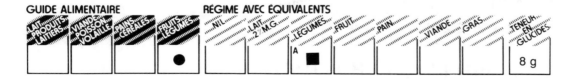

GUIDE ALIMENTAIRE — LAIT ET PRODUITS LAITIERS, VIANDE, POISSON ET VOLAILLE, PAINS ET CÉRÉALES, FRUITS ET LÉGUMES ●

RÉGIME AVEC ÉQUIVALENTS — NIL, LAIT 2% M.G., LÉGUMES A ■, FRUIT, PAIN, VIANDE, GRAS, TENEUR EN GLUCIDES 8 g

POTAGE QUÉBÉCOIS

INGRÉDIENTS

	Métrique	Impérial
● **Pommes pelées, coupées en quartiers**	**5 moyennes**	**5 moyennes**
Zestes de citron	**15 mL**	**1 c. à table**
● **Oignon haché finement**	**1 moyen**	**1 moyen**
Bouillon de poulet dégraissé	**1 L**	**4 tasses**
Sel	**au goût**	**au goût**
Poivre	**au goût**	**au goût**
● **Jaunes d'œufs battus**	**2**	**2**
Lait 2% M.G.	**125 mL**	**½ tasse**

MODE DE PRÉPARATION

● Couvrir et cuire les quartiers de pommes et les zestes à feu doux jusqu'à l'obtention d'une purée (environ 20 minutes).

● Ajouter l'oignon et le bouillon.
Laisser mijoter 10 minutes.
Assaisonner.
Passer au mélangeur jusqu'à l'obtention d'une texture homogène.

● Réchauffer les jaunes d'œufs avec un peu du mélange chaud.
Ajouter les jaunes d'œufs et le lait au premier mélange.
Faire chauffer quelques minutes à découvert sans laisser bouillir.

RENDEMENT : *6 portions*

TEMPS DE PRÉPARATION : *15 minutes*
TEMPS DE CUISSON : *35 minutes*

GUIDE ALIMENTAIRE

LAIT PRODUITS LAITIERS	VIANDE POISSON VOLAILLE	PAINS CÉRÉALES	FRUITS LÉGUMES
			●

RÉGIME AVEC ÉQUIVALENTS

NIL	LAIT 2% M.G.	LÉGUMES	FRUIT	PAIN	VIANDE	GRAS	TENEUR EN GLUCIDES
		A B	■				14 g

SOUPE À L'ORGE

INGRÉDIENTS

	Métrique	Impérial
● Orge mondé	25 mL	2 c. à table
Eau bouillante	125 mL	½ tasse
● Bouillon de bœuf dégraissé, réchauffé	750 mL	3 tasses
Sel	au goût	au goût
Poivre	au goût	au goût

RENDEMENT : *6 portions*

MODE DE PRÉPARATION

● Couvrir et cuire l'orge à l'eau bouillante 15 minutes.

● Ajouter le bouillon chaud et les assaisonnements.

TEMPS DE PRÉPARATION : *5 minutes*
TEMPS DE CUISSON : *15 minutes*

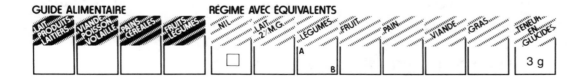

GUIDE ALIMENTAIRE

LAIT PRODUITS LAITIERS — VIANDE POISSON VOLAILLE — PAINS CÉRÉALES — FRUITS LÉGUMES

RÉGIME AVEC ÉQUIVALENTS

NIL — LAIT 2% M.G. — LÉGUMES — FRUIT — PAIN — VIANDE — GRAS — TENEUR EN GLUCIDES

A
B

3 g

SOUPE À L'ORGE ET AUX LÉGUMES

INGRÉDIENTS	Métrique	Impérial
● Orge mondé	25 mL	2 c. à table
Eau bouillante	125 mL	½ tasse
● Céleri coupé en brunoise	50 mL	¼ tasse
Oignon coupé en brunoise	25 mL	2 c. à table
Persil frais haché	15 mL	1 c. à table
Haricots verts hachés	125 mL	½ tasse
Carotte coupée en brunoise	50 mL	¼ tasse
Bouillon de bœuf dégraissé, réchauffé	750 mL	3 tasses
Sel	2 mL	½ c. à thé
Poivre	1 pincée	1 pincée

RENDEMENT : *6 portions*

MODE DE PRÉPARATION

● Couvrir et cuire l'orge dans l'eau bouillante 15 minutes.

● Ajouter les légumes, le bouillon chaud et les assaisonnements.
Cuire à feu moyen 10 minutes.

TEMPS DE PRÉPARATION : *15 minutes*
TEMPS DE CUISSON : *25 minutes*

GUIDE ALIMENTAIRE

LAIT PRODUITS LAITIERS | VIANDE POISSON VOLAILLE | PAINS CÉRÉALES | FRUITS LÉGUMES

RÉGIME AVEC ÉQUIVALENTS

NIL | LAIT 2% M.G. | LÉGUMES A | FRUIT | PAIN | VIANDE | GRAS | TENEUR EN GLUCIDES 3 g

SOUPE AU BLÉ

INGRÉDIENTS

	Métrique	Impérial
• **Huile**	**5 mL**	**1 c. à thé**
Crème de blé	**100 mL**	**6 c. à table**
• **Eau**	**750 mL**	**3 tasses**
Sel	**5 mL**	**1 c. à thé**
Poivre	**1 pincée**	**1 pincée**
Muscade	**1 pincée**	**1 pincée**
• **Tomate coupée en cubes**	**1 moyenne**	**1 moyenne**

RENDEMENT : *4 portions*

MODE DE PRÉPARATION

● Chauffer l'huile dans un poêlon.
Ajouter la crème de blé ; brunir à feu moyen.

● Ajouter l'eau.
Assaisonner.
Laisser mijoter à découvert 15 minutes.

● Ajouter la tomate ; cuire à feu doux 1 minute.

TEMPS DE PRÉPARATION : *5 minutes*
TEMPS DE CUISSON : *20 minutes*

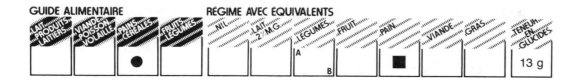

GUIDE ALIMENTAIRE — LAIT PRODUITS LAITIERS — VIANDE POISSON VOLAILLE — PAINS CÉRÉALES — FRUITS LÉGUMES

RÉGIME AVEC ÉQUIVALENTS — NIL — LAIT 2 % M.G. — LÉGUMES A B — FRUIT — PAIN — VIANDE — GRAS — TENEUR EN GLUCIDES 13 g

SOUPE AUX ŒUFS

INGRÉDIENTS

	Métrique	Impérial
● **Farine tout usage**	**15 mL**	**1 c. à table**
Oeufs battus	**2**	**2**
● **Bouillon de poulet dégraissé**	**750 mL**	**3 tasses**
● **Oignon vert haché**	**1**	**1**
Persil frais haché	**25 mL**	**2 c. à table**
Sel	**1 mL**	**¼ c. à thé**
Poivre	**1 pincée**	**1 pincée**
Basilic	**1 pincée**	**1 pincée**

RENDEMENT : *6 portions*

MODE DE PRÉPARATION

● Ajouter la farine aux œufs.
Mélanger.

● Faire chauffer le bouillon jusqu'à ébullition.
Y verser lentement le mélange d'œufs en battant
continuellement avec une fourchette.

● Ajouter l'oignon vert et les assaisonnements.
Cuire à feu doux, à découvert, 2 minutes.

TEMPS DE PRÉPARATION : *5 minutes*
TEMPS DE CUISSON : *10 minutes*

GUIDE ALIMENTAIRE — LAIT PRODUITS LAITIERS / VIANDE POISSON VOLAILLE / PAINS CÉRÉALES / FRUITS LÉGUMES

RÉGIME AVEC ÉQUIVALENTS — NIL / LAIT 2 % M.G. / LÉGUMES A / FRUIT B / PAIN / VIANDE / GRAS / TENEUR EN GLUCIDES 1 g

SOUPE AUX POIS CHICHES

INGRÉDIENTS

	Métrique	Impérial
• **Pois chiches secs**	**125 mL**	**½ tasse**
ou		
Pois chiches en conserve, égouttés	**375 mL**	**1½ tasse**
• **Huile**	**15 mL**	**1 c. à table**
Oignon haché	**15 mL**	**1 c. à table**
• **Bouillon de poulet dégraissé**	**1 L**	**4 tasses**
Purée de tomates	**50 mL**	**¼ tasse**
Ail haché	**1 gousse**	**1 gousse**
Sel	**au goût**	**au goût**
Poivre	**au goût**	**au goût**
Origan	**1 mL**	**¼ c. à thé**
Moutarde de Dijon	**1 mL**	**¼ c. à thé**
Estragon	**1 mL**	**¼ c. à thé**
Curcuma	**1 mL**	**¼ c. à thé**
Poudre de chili	**1 mL**	**¼ c. à thé**
Poudre de cari	**1 mL**	**¼ c. à thé**

MODE DE PRÉPARATION

- Cuire les pois chiches secs selon la méthode indiquée à la page 236.

- Chauffer l'huile dans un poêlon.
  Faire sauter les pois chiches et l'oignon à feu moyen 3 à 4 minutes.

- Ajouter le bouillon de poulet, la purée de tomates, l'ail et les assaisonnements.
  Cuire à feu doux 25 minutes.

RENDEMENT : *4 portions*

TEMPS DE PRÉPARATION : *10 minutes*
TEMPS DE CUISSON : *30 minutes*
(pois chiches secs : 2 heures)

GUIDE ALIMENTAIRE — RÉGIME AVEC ÉQUIVALENTS

LAIT PRODUITS LAITIERS	VIANDE POISSON VOLAILLE	PAINS CÉRÉALES	FRUITS LÉGUMES	NIL	LAIT 2% M.G.	LÉGUMES	FRUIT	PAIN	VIANDE	GRAS	TENEUR EN GLUCIDES
						A/B		■		■	18 g

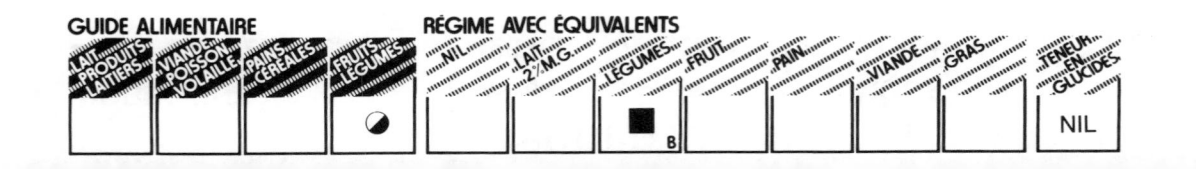

CHAMPIGNONS FARCIS

INGRÉDIENTS

	Métrique	Impérial
● **Champignons frais**	**8 gros**	**8 gros**
● **Huile**	**5 mL**	**1 c. à thé**
Oignon haché	**25 mL**	**2 c. à table**
Céleri haché	**50 mL**	**¼ tasse**
Persil frais haché	**25 mL**	**2 c. à table**
Sel	**1 pincée**	**1 pincée**
Poivre	**1 pincée**	**1 pincée**
● **Laitue**	**4 feuilles**	**4 feuilles**

RENDEMENT : *4 portions*

MODE DE PRÉPARATION

- ● Laver et assécher les champignons.
  Enlever les queues délicatement ; hacher.
  Déposer les têtes de champignons dans un poêlon.
  Ajouter de l'eau jusqu'à la moitié des champignons.
  Cuire à feu doux 5 minutes.

- ● Chauffer l'huile dans un poêlon.
  Ajouter les queues de champignons hachées, les autres légumes et les assaisonnements.
  Cuire à feu doux 4 minutes.
  Farcir les têtes de ce mélange.

- ● Servir sur une feuille de laitue.

TEMPS DE PRÉPARATION : *10 minutes*
TEMPS DE CUISSON : *10 minutes*

GUIDE ALIMENTAIRE

LAIT PRODUITS LAITIERS | VIANDE POISSON VOLAILLE | PAINS CÉRÉALES | FRUITS LÉGUMES

RÉGIME AVEC ÉQUIVALENTS

NIL | LAIT 2% M.G. | LÉGUMES | FRUIT | PAIN | VIANDE | GRAS | TENEUR EN GLUCIDES

B

NIL

GALETTES BONNE FRANQUETTE

INGRÉDIENTS

	Métrique	Impérial
• **Galettes de sarrasin** (voir p.174)	4	4
• **Ananas non sucré, haché**	**50 mL**	**¼ tasse**
Jambon cuit	**2 tranches**	**2 tranches**
Fromage partiellement écrémé, râpé	**125 mL**	**½ tasse**

RENDEMENT : *4 portions*

MODE DE PRÉPARATION

- Faire cuire les galettes.

- Pour une portion :
Étendre sur la galette 15 mL (1 c. à table) d'ananas.
Ajouter ½ tranche de jambon.
Rouler la galette et piquer avec un cure-dent.
Saupoudrer de 25 mL (2 c. à table) de fromage râpé.
Cuire au four à 180°C (350°F) 5 minutes.

TEMPS DE PRÉPARATION : *20 minutes*
TEMPS DE CUISSON : *15 minutes*

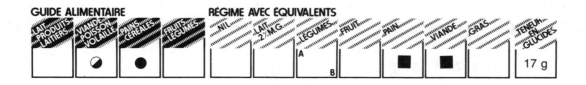

GONDOLES AUX FRUITS DE MER

INGRÉDIENTS	Métrique	Impérial
• **Courgettes non pelées**	**2 moyennes**	**2 moyennes**
• **Fromage cottage**	**125 mL**	**½ tasse**
Crevettes cuites, hachées ou crabe des neiges cuit, haché	**50 mL**	**¼ tasse**
Poivron vert haché	**½ moyen**	**½ moyen**
Oeuf	**1**	**1**
Basilic	**1 pincée**	**1 pincée**
Sel	**au goût**	**au goût**
• **Fromage partiellement écrémé, râpé**	**25 mL**	**2 c. à table**
• **Sauce tomate en conserve**	**50 mL**	**¼ tasse**

RENDEMENT : *4 portions*

MODE DE PRÉPARATION

• Couper les courgettes en deux dans le sens de la longueur.
Évider et garder la pelure (gondole).
Hacher la chair des courgettes.

• Ajouter à la chair des courgettes le fromage, les crevettes, le poivron, l'œuf, le basilic et le sel ; mélanger.
Farcir chaque demi-courgette (gondole) de ce mélange.

• Garnir de fromage râpé.

• Napper les gondoles de sauce tomate.
Cuire à 180°C (350°F) de 30 à 35 minutes.

TEMPS DE PRÉPARATION : *20 minutes*
TEMPS DE CUISSON : *30 à 35 minutes*

GUIDE ALIMENTAIRE

LAIT PRODUITS LAITIERS | VIANDE POISSON VOLAILLE | PAINS CÉRÉALES | FRUITS LÉGUMES

RÉGIME AVEC ÉQUIVALENTS

NIL | LAIT 2% M.G. | LÉGUMES | FRUIT | PAIN | VIANDE | GRAS | TENEUR EN GLUCIDES

7 g

ŒUFS GOURMET

INGRÉDIENTS

	Métrique	Impérial
● **Tomates fraîches**	**4 moyennes**	**4 moyennes**
Sel	**au goût**	**au goût**
Poivre	**au goût**	**au goût**

Sauce

	Métrique	Impérial
● **Champignons émincés**	**125 mL**	**½ tasse**
Oignons verts hachés	**2**	**2**
Bouillon de poulet dégraissé	**200 mL**	**¾ tasse**
Sel	**au goût**	**au goût**
Poivre	**au goût**	**au goût**
Fromage partiellement écrémé, râpé	**125 mL**	**½ tasse**
Fécule de maïs	**25 mL**	**2 c. à table**
Lait 2% M.G.	**200 mL**	**¾ tasse**
● **Oeufs**	**2**	**2**

MODE DE PRÉPARATION

● Chauffer le four à 190°C (375°F).

● Évider les tomates ; assaisonner et déposer dans un plat à gratin non graissé.
Cuire au four 10 minutes.

Sauce

● Cuire 3 minutes à feu moyen les champignons et les oignons verts dans le bouillon de poulet.
Assaisonner.
Ajouter le fromage.
Délayer la fécule dans le lait.
Ajouter d'un trait au mélange de légumes et cuire à feu doux en brassant jusqu'à épaississement (environ 10 minutes).

● Cuire les œufs dans l'eau bouillante 10 minutes.
Couper dans le sens de la longueur.
Placer la moitié d'un œuf dans chaque tomate.
Napper de sauce et servir.

RENDEMENT : *4 portions*

TEMPS DE PRÉPARATION : *30 minutes*
TEMPS DE CUISSON : *30 minutes*

GUIDE ALIMENTAIRE

RÉGIME AVEC ÉQUIVALENTS

LAIT PRODUITS LAITIERS	VIANDE POISSON VOLAILLE	PAINS CÉRÉALES	FRUITS LÉGUMES	NIL	LAIT 2% M.G.	LÉGUMES	FRUIT	PAIN	VIANDE	GRAS	TENEUR EN GLUCIDES
	◖		●			■ B		◩	■		10 g

TARTE AUX ŒUFS

INGRÉDIENTS

	Métrique	Impérial
● **Pâte à tarte de blé entier (voir p.187)**	**1 abaisse**	**1 abaisse**
Farce		
● **Oignon haché**	**1 moyen**	**1 moyen**
Lait 2% M.G.	**250 mL**	**1 tasse**
Oeufs battus	**8**	**8**
Pain de blé entier émietté	**2 tranches**	**2 tranches**
Sauce anglaise (genre Worcestershire)	**2 mL**	**½ c. à thé**
Sel	**5 mL**	**1 c. à thé**
Persil	**5 mL**	**1 c. à thé**
Cerfeuil	**1 mL**	**¼ c. à thé**
● **Cresson**	**4 bouquets**	**4 bouquets**

RENDEMENT : *8 portions*

MODE DE PRÉPARATION

- ● Chauffer le four à 200°C (400°F).
- ● Préparer la pâte (voir p. 187).
  En tapisser une assiette à tarte de 22 cm (9 po.).

Farce

- ● Déposer l'oignon sur la croûte.
  Chauffer le lait à feu doux.
  Y ajouter les œufs, le pain, la sauce anglaise et les assaisonnements.
  Verser le mélange sur la croûte et les oignons.
  Cuire au four environ 45 minutes.
  La préparation est cuite lorsqu'un couteau en ressort propre.

- ● Décorer de cresson.

TEMPS DE PRÉPARATION : *20 minutes*
TEMPS DE CUISSON : *55 minutes*

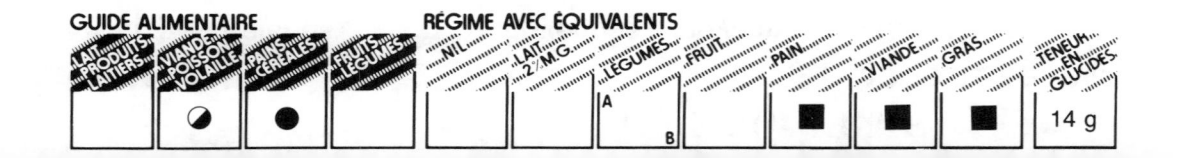

GUIDE ALIMENTAIRE

LAIT PRODUITS LAITIERS	VIANDE POISSON VOLAILLE	PAINS CÉRÉALES	FRUITS LÉGUMES
	◓	●	

RÉGIME AVEC ÉQUIVALENTS

NIL	LAIT 2% M.G.	LÉGUMES	FRUIT	PAIN	VIANDE	GRAS	TENEUR EN GLUCIDES
		A ___ B		■	■	■	14 g

METS PRINCIPAUX

CHAUDRÉE DU PÊCHEUR

INGRÉDIENTS	Métrique	Impérial
• Pommes de terre pelées, coupées en cubes	250 mL	1 tasse
Oignon tranché	1 moyen	1 moyen
Céleri coupé en dés	125 mL	½ tasse
Tomates coupées en cubes	250 mL	1 tasse
Graines de céleri	1 mL	¼ c. à thé
Thym	2 mL	½ c. à thé
Persil	10 mL	2 c. à thé
Sel	2 mL	½ c. à thé
Poivre	0,5 mL	⅛ c. à thé
Eau bouillante	325 mL	1⅓ tasse
• Saumon cuit, émietté	425 mL	1¾ tasse
Crevettes cuites	175 mL	¾ tasse
• Margarine ou beurre	25 mL	2 c. à table
Farine tout usage	25 mL	2 c. à table
Lait 2% M.G.	500 mL	2 tasses
• Persil	15 mL	1 c. à table

MODE DE PRÉPARATION

- Mélanger les légumes et les assaisonnements.
  Ajouter l'eau bouillante.
  Amener à ébullition ; laisser mijoter 15 minutes.

- Ajouter le saumon et les crevettes.
  Laisser mijoter encore 10 minutes.

- Faire fondre le gras dans un grand poêlon.
  Ajouter la farine ; bien mélanger.
  Ajouter le lait graduellement.
  Laisser cuire quelques minutes en brassant jusqu'à l'obtention d'une sauce onctueuse.
  Ajouter le mélange de légumes et de poisson dans la sauce, lentement et en brassant délicatement.

- Garnir de persil avant de servir.

RENDEMENT : *6 portions de 250 mL (1 tasse)*

TEMPS DE PRÉPARATION : *20 minutes*
TEMPS DE CUISSON : *40 minutes*

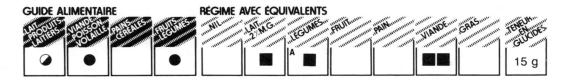

FLÉTAN GRILLÉ À LA LIME

INGRÉDIENTS

	Métrique	Impérial
• **Darnes de flétan**	**500 g**	**1 lb**
Sel	**2 mL**	**½ c. à thé**
Poivre	**0,5 mL**	**⅛ c. à thé**
• **Limes**	**2**	**2**
Margarine ou beurre	**15 mL**	**1 c. à table**

RENDEMENT : *4 portions*

MODE DE PRÉPARATION

• Assaisonner les darnes.

• Extraire le jus des limes.
Mélanger avec le gras.
Badigeonner les darnes d'un côté avec la moitié du mélange.
Mettre sur un gril à 8 - 10 cm (3 - 4 po.) de l'élément supérieur.
Griller 5 minutes.
Retourner ; badigeonner du reste du mélange gras-lime.
Griller 5 minutes ou jusqu'à ce que le poisson s'effeuille.

TEMPS DE PRÉPARATION : *10 minutes*
TEMPS DE CUISSON : *15 minutes*

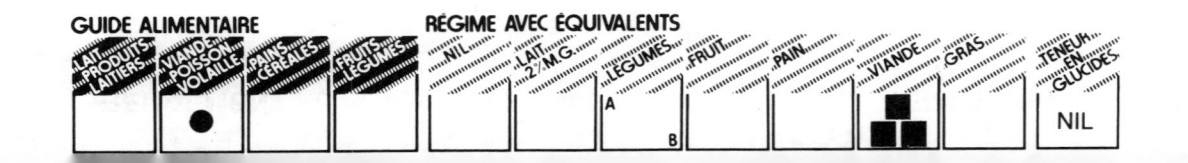

GUIDE ALIMENTAIRE — LAIT PRODUITS LAITIERS — VIANDE POISSON VOLAILLE — PAINS CÉRÉALES — FRUITS LÉGUMES

RÉGIME AVEC ÉQUIVALENTS — NIL — LAIT 2% M.G. — LÉGUMES — FRUIT — PAIN — VIANDE — GRAS — TENEUR EN GLUCIDES — NIL

PÂTÉ D'AIGLEFIN AUX FINES HERBES

INGRÉDIENTS

	Métrique	Impérial
Court-bouillon		
● **Eau**	750 mL	3 tasses
Oignon haché	1 moyen	1 moyen
Vinaigre	25 mL	2 c. à table
Sel	5 mL	1 c. à thé
● **Aiglefin frais ou congelé**	500 g	1 lb
● **Pain de blé entier, émietté**	2 tranches	2 tranches
Lait 2% M.G.	125 mL	½ tasse
Jaunes d'œufs battus	3	3
Romarin	1 pincée	1 pincée
Estragon	1 pincée	1 pincée
Thym	1 pincée	1 pincée
Ail haché	1 gousse	1 gousse
Blancs d'œufs	3	3

MODE DE PRÉPARATION

Court-bouillon

● Amener tous les ingrédients à ébullition.
Laisser bouillir 2 minutes.

● Pocher le poisson dans le court-bouillon à feu doux 10 minutes.
Laisser refroidir et hacher le poisson.

● Tremper le pain dans le lait et égoutter.
Mélanger le pain, les jaunes d'œufs battus, le poisson haché et les assaisonnements.
Battre les blancs d'œufs en neige ferme et les incorporer au mélange de poisson.
Verser dans un moule carré de 20 cm × 20 cm (8 po. × 8 po.) graissé.
Cuire au four à 180°C (350°F) 30 minutes.

Servir seul ou nappé de sauce aux légumes verts (voir p.207).

RENDEMENT : *4 portions*

TEMPS DE PRÉPARATION : *30 minutes*
TEMPS DE CUISSON : *40 minutes*

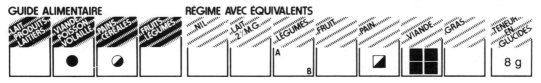

GUIDE ALIMENTAIRE — RÉGIME AVEC ÉQUIVALENTS

INGRÉDIENTS

	Métrique	Impérial
• **Flocons d'avoine**	175 mL	¾ **tasse**
• **Thon en conserve** égoutté, émietté	1 boîte de 198 g	1 boîte de 7 onces
Sauce à salade (genre mayonnaise)	50 mL	¼ **tasse**
Yogourt nature	50 mL	¼ **tasse**
Lait 2% M.G.	50 mL	¼ **tasse**
Oignon haché	50 mL	¼ **tasse**
Céleri tranché	250 mL	1 **tasse**

RENDEMENT : *4 portions*

MODE DE PRÉPARATION

- Chauffer le four à 180°C (350°F).

- Étendre le gruau dans une lèchefrite.
  Cuire au four 15 minutes.
  Laisser refroidir.

- Mélanger les flocons d'avoine et tous les autres ingrédients.
  Mettre au réfrigérateur au moins 1 heure avant de servir.

TEMPS DE PRÉPARATION : *10 minutes*
TEMPS DE CUISSON : *15 minutes*

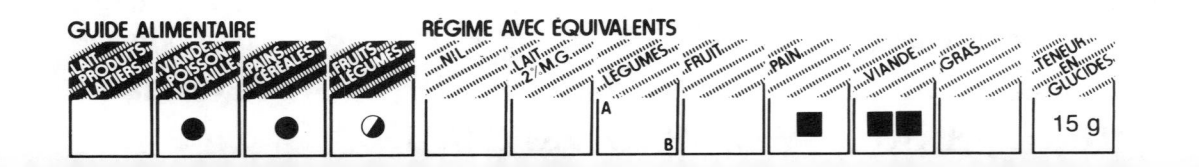

GUIDE ALIMENTAIRE — LAIT ET PRODUITS LAITIERS, VIANDE-POISSON-VOLAILLE, PAINS-CÉRÉALES, FRUITS ET LÉGUMES

RÉGIME AVEC ÉQUIVALENTS — NIL, LAIT 2% M.G., LÉGUMES, FRUIT, PAIN, VIANDE, GRAS, TENEUR EN GLUCIDES 15 g

SOLE DIJONNAISE

INGRÉDIENTS

	Métrique	Impérial
● **Filet de sole**	**500 g**	**1 lb**
Moutarde de Dijon	**25 mL**	**2 c. à table**
● **Poivron vert coupé en dés**	**½ moyen**	**½ moyen**
Oignon haché	**1 moyen**	**1 moyen**
Lait 2% M.G.	**50 mL**	**¼ tasse**
Jus de citron	**20 mL**	**4 c. à thé**
Fromage au lait écrémé, râpé	**75 mL**	**⅓ tasse**
Paprika	**au goût**	**au goût**

RENDEMENT : *4 portions*

MODE DE PRÉPARATION

● Badigeonner le poisson de moutarde et déposer dans un plat en pyrex.

● Étendre le poivron et l'oignon sur le poisson. Ajouter le lait et le jus de citron. Parsemer de fromage râpé et saupoudrer de paprika. Cuire au four à 190°C (375°F) 20 minutes.

TEMPS DE PRÉPARATION : *15 minutes*
TEMPS DE CUISSON : *20 minutes*

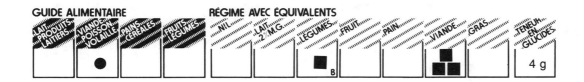

GUIDE ALIMENTAIRE — LAIT PRODUITS LAITIERS / VIANDE POISSON VOLAILLE / PAINS CÉRÉALES / FRUITS LÉGUMES

RÉGIME AVEC ÉQUIVALENTS — NIL / LAIT 2% M.G. / LÉGUMES / FRUIT / PAIN / VIANDE / GRAS / TENEUR EN GLUCIDES — 4 g

TURBOT FRUITÉ

INGRÉDIENTS

	Métrique	Impérial
• **Riz brun**	**125 mL**	**½ tasse**
Bouillon de poulet dégraissé	**250 mL**	**1 tasse**
• **Huile**	**10 mL**	**2 c. à thé**
Oignon haché	**1 moyen**	**1 moyen**
Poivron vert haché	**1 moyen**	**1 moyen**
Ail haché	**2 gousses**	**2 gousses**
• **Filet de turbot frais ou décongelé**	**500 g**	**1 lb**
Persil frais haché	**50 mL**	**¼ tasse**
Poudre de cari	**5 mL**	**1 c. à thé**
Sel	**2 mL**	**½ c. à thé**
Aneth ou	**0,5 mL**	**⅛ c. à thé**
Sel d'oignon	**2 mL**	**½ c. à thé**
Poires non sucrées, tranchées	**175 mL**	**¾ tasse**
Pêches non sucrées, tranchées	**250 mL**	**1 tasse**

MODE DE PRÉPARATION

- Mettre le riz et le bouillon dans une casserole. Cuire le riz 30 minutes selon la méthode indiquée sur l'emballage.

- Chauffer l'huile dans un poêlon. Faire revenir l'oignon, le poivron et l'ail. Mélanger le riz et les légumes dans un plat en pyrex.

- Déposer les filets sur le riz au centre du plat. Y saupoudrer la moitié du persil et les autres assaisonnements. Cuire au four à 200°C (400°F) 15 à 20 minutes. Décorer de poires et de pêches. Saupoudrer du reste du persil. Remettre au four 5 minutes ou jusqu'à ce que les fruits soient chauds.

RENDEMENT : *4 portions*

TEMPS DE PRÉPARATION : *20 minutes*
TEMPS DE CUISSON : *1 heure*

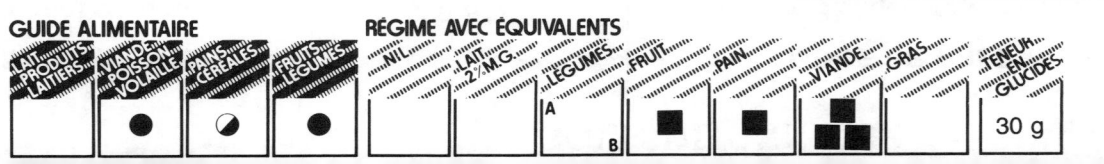

GUIDE ALIMENTAIRE — LAIT PRODUITS LAITIERS, VIANDE POISSON VOLAILLE, PAINS CÉRÉALES, FRUITS LÉGUMES

RÉGIME AVEC ÉQUIVALENTS — NIL, LAIT 2% M.G., LÉGUMES, FRUIT, PAIN, VIANDE, GRAS, TENEUR EN GLUCIDES 30 g

POULET GRILLÉ À L'ESTRAGON

INGRÉDIENTS

	Métrique	Impérial
Marinade		
● Vinaigre de vin	375 mL	1½ tasse
Bouillon de poulet dégraissé	250 mL	1 tasse
● Poulet (poitrines et cuisses)	750 g	1½ lb
● Moutarde de Dijon	50 mL	¼ tasse
Estragon	15 mL	1 c. à table
Ail haché	2 gousses	2 gousses

RENDEMENT : *4 portions*

MODE DE PRÉPARATION

Marinade

● Mélanger les ingrédients de la marinade.

● Déposer le poulet dans la marinade. Laisser mariner environ 8 heures. Égoutter le poulet.

● Mélanger tous les assaisonnements. En badigeonner le poulet. Cuire au four à 160°C (325°F) 1 heure.

Servir chaud ou froid.

TEMPS DE PRÉPARATION : *10 minutes*
TEMPS DE CUISSON : *1 heure*

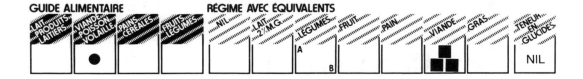

POULET À LA PAYSANNE

INGRÉDIENTS	Métrique	Impérial
● Carotte coupée en rondelles	1 moyenne	1 moyenne
Oignon coupé en quartiers	1 moyen	1 moyen
Poireau tranché	1 moyen	1 moyen
Céleri tranché	1 branche	1 branche
● Poulet entier	1,5 kg	3 lb
Sel	2 mL	½ c. à thé
Poivre	0,5 mL	⅛ c. à thé
Bouillon de poulet dégraissé	375 mL	1½ tasse
● Bouillon de poulet dégraissé	375 mL	1½ tasse

MODE DE PRÉPARATION

- ● Étendre les légumes dans une rôtissoire.

- ● Déposer le poulet sur les légumes.
  Assaisonner.
  Ajouter le bouillon.
  Cuire au four à 180°C (350°F) 30 minutes, puis à 150°C (300°F) 90 minutes.
  Désosser le poulet ; mettre de côté.
  Égoutter et rincer les légumes.
  Faire revenir les os et les légumes.

- ● Ajouter le bouillon de poulet.
  Laisser mijoter à découvert 15 minutes.
  Couler le bouillon ; mettre de côté.

• **Navet coupé en bâtonnets**	175 mL	**¾ tasse**
Carottes coupées en bâtonnets	125 mL	**½ tasse**
Oignons coupés en quartiers	125 mL	**½ tasse**
Pommes de terre parisiennes (voir p. 16)	125 mL	**½ tasse**
Haricots verts coupés en biseaux	250 mL	**1 tasse**

RENDEMENT : *6 portions*

• Déposer dans une cocotte les morceaux de poulet.
Entourer de légumes.
Ajouter le bouillon coulé.
Braiser au four à 180°C (350°F) 1 heure.

Servir dans la cocotte.

TEMPS DE PRÉPARATION : *1 heure*
TEMPS DE CUISSON : *3 heures 15 minutes*

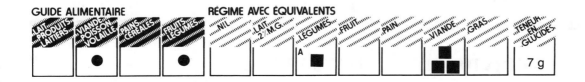

GUIDE ALIMENTAIRE — RÉGIME AVEC ÉQUIVALENTS

LAIT PRODUITS LAITIERS | VIANDE POISSON VOLAILLE • | PAINS CÉRÉALES | FRUITS LÉGUMES • | NIL | LAIT 2/MG | LÉGUMES A ■ | FRUIT | PAIN | VIANDE ■ ■■ | GRAS | TENEUR EN GLUCIDES 7 g

POULET SAUCE À LA DIABLE

INGRÉDIENTS

	Métrique	Impérial
• Poulet (poitrines)	625 g	1¼ lb
Assaisonnement à volaille	au goût	au goût

Sauce

	Métrique	Impérial
• Poudre de cari	2 mL	½ c. à thé
Moutarde préparée	4 mL	¾ c. à thé
Fécule de maïs	15 mL	1 c. à table
Bouillon de poulet dégraissé	200 mL	¾ tasse
Margarine ou beurre	5 mL	1 c. à thé
• Oeuf battu	1	1
Lait 2% M.G.	15 mL	1 c. à table
Sel	au goût	au goût
Poivre	au goût	au goût

RENDEMENT : *4 portions*

MODE DE PRÉPARATION

- Assaisonner le poulet.
  Cuire au four à 160°C (325°F) 1 heure 30 minutes.

Sauce

- Mélanger la poudre de cari, la moutarde et la fécule de maïs.
  Ajouter le bouillon et le gras.
  Cuire à feu moyen 15 minutes, en brassant jusqu'à épaississement ; retirer du feu.

- Mélanger l'œuf, le lait et les assaisonnements.
  Réchauffer d'un peu de mélange chaud.
  Ajouter au reste du mélange.
  Brasser.
  Napper de sauce chaque portion de poulet.

TEMPS DE PRÉPARATION : *10 minutes*
TEMPS DE CUISSON : *1 heure 50 minutes*

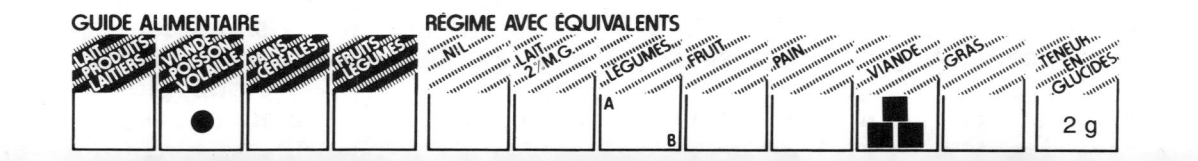

GUIDE ALIMENTAIRE — LAIT ET PRODUITS LAITIERS / VIANDE POISSON VOLAILLE / PAINS CÉRÉALES / FRUITS LÉGUMES

RÉGIME AVEC ÉQUIVALENTS — NIL / LAIT 2% M.G. / LÉGUMES / FRUIT / PAIN / VIANDE / GRAS / TENEUR EN GLUCIDES : 2 g

II. METS PRINCIPAUX

1 Macédoine de soya, *page 105.*
2 Roulades de jambon, *page 83.*
3 Turbot fruité, *page 68.*

POULET SÉSAME AU BROCOLI

INGRÉDIENTS

	Métrique	Impérial
• Brocoli en bouquets	500 mL	2 tasses
• Poulet cuit, tranché (poitrines)	500 mL	2 tasses
Sauce		
• Bouillon de poulet dégraissé	750 mL	3 tasses
Lait 2% M.G.	200 mL	¾ tasse
Sel	2 mL	½ c. à thé
Poivre	au goût	au goût
Fécule de maïs	50 mL	3 c. à table
Eau froide	50 mL	¼ tasse
Fromage parmesan râpé	50 mL	¼ tasse
• Fromage parmesan râpé	50 mL	¼ tasse
Graines de sésame grillées	25 mL	2 c. à table

RENDEMENT : *4 portions*

MODE DE PRÉPARATION

- Blanchir le brocoli ; l'égoutter et le déposer dans un plat en pyrex.
- Couvrir le brocoli de tranches de poulet.

Sauce
- Mélanger le bouillon, le lait et les assaisonnements.
  Amener à ébullition.
  Ajouter la fécule délayée dans l'eau et cuire en brassant jusqu'à épaississement.
  Ajouter le fromage.
  Verser cette sauce sur le poulet.

- Saupoudrer de fromage et de graines de sésame.
  Cuire au four à 180°C (350°F) 20 minutes.
  Régler le four à 230°C (450°F) et poursuivre la cuisson jusqu'à ce que la sauce soit dorée.

TEMPS DE PRÉPARATION : *25 minutes*
TEMPS DE CUISSON : *35 minutes*

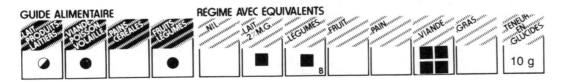

POULET TOURNESOL

INGRÉDIENTS

	Métrique	Impérial
• Poulet (poitrines)	625 g	1¼ lb
• Huile	15 mL	1 c. à table
Champignons frais, tranchés	375 mL	1½ tasse
Céleri coupé en biseaux	250 mL	1 tasse
Oignon coupé en quartiers	1 moyen	1 moyen
• Bouillon de poulet dégraissé	500 mL	2 tasses
Haricots mange-tout congelés	250 mL	1 tasse
Fécule de maïs	30 mL	2 c. à table
Sauce soya	25 mL	2 c. à table
• Vermicelle cuit	500 mL	2 tasses
Graines de tournesol grillées	25 mL	2 c. à table

MODE DE PRÉPARATION

- Faire cuire le poulet dans l'eau bouillante. Désosser et tailler en lamelles.

- Chauffer l'huile dans une casserole. Faire revenir les légumes à feu moyen 3 minutes.

- Ajouter le bouillon, le poulet et les haricots. Chauffer 5 minutes. Ajouter la fécule délayée dans la sauce soya. Cuire à feu moyen 10 minutes ou jusqu'à épaississement.

- Servir sur le vermicelle. Garnir de graines de tournesol.

RENDEMENT : *4 portions*

TEMPS DE PRÉPARATION : *30 minutes*
TEMPS DE CUISSON : *40 minutes*

GUIDE ALIMENTAIRE

RÉGIME AVEC ÉQUIVALENTS

RIZ AU POULET ET AUX FRUITS

INGRÉDIENTS

	Métrique	Impérial
● **Riz brun**	**125 mL**	**½ tasse**
Bouillon de poulet dégraissé	**300 mL**	**1¼ tasse**
Raisins secs	**50 mL**	**¼ tasse**
● **Muscade**	**1 mL**	**¼ c. à thé**
Sel	**au goût**	**au goût**
Poivre	**au goût**	**au goût**
● **Poulet (poitrines ou cuisses)**	**750 g**	**1½ lb**
● **Pommes pelées, coupées en huit**	**2 moyennes**	**2 moyennes**

RENDEMENT : *4 portions*

MODE DE PRÉPARATION

● Mélanger le riz, le bouillon et les raisins secs dans une casserole.
Amener à ébullition.
Déposer ce mélange dans un plat allant au four.

● Assaisonner.

● Y déposer le poulet.
Couvrir et cuire au four à 160°C (325°F) 1 heure.

● Ajouter les pommes.
Remettre au four et cuire à découvert 15 minutes.

TEMPS DE PRÉPARATION : *15 minutes*
TEMPS DE CUISSON : *1 heure 20 minutes*

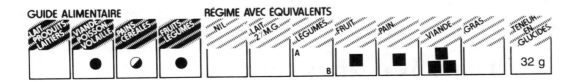

GUIDE ALIMENTAIRE — RÉGIME AVEC ÉQUIVALENTS

75

CÔTELETTES DE VEAU BONNE FEMME

INGRÉDIENTS

	Métrique	Impérial
• Côtelettes de veau	4 petites (500 g)	4 petites (1 lb)
Sel	1 mL	¼ c. à thé
Poivre	0,5 mL	⅛ c. à thé
• Oignons tranchés	2 moyens	2 moyens
Pommes de terre pelées, tranchées	4 petites	4 petites
• Moutarde de Dijon	2 mL	½ c. à thé
Poudre de cari	0,5 mL	⅛ c. à thé
Bouillon de poulet dégraissé	375 mL	1½ tasse
Paprika	1 pincée	1 pincée

RENDEMENT : *4 portions*

MODE DE PRÉPARATION

- Assaisonner les côtelettes.
  Placer dans un plat allant au four.

- Ajouter les légumes en faisant alterner les rangs de pommes de terre et d'oignons ; finir avec les pommes de terre.

- Ajouter la moutarde et la poudre de cari au bouillon de poulet.
  Verser sur le mélange de côtelettes et de légumes.
  Saupoudrer de paprika.
  Couvrir et cuire au four à 180°C (350°F) 1 heure.

TEMPS DE PRÉPARATION : *20 minutes*
TEMPS DE CUISSON : *1 heure*

VEAU À L'ORANGE

INGRÉDIENTS

	Métrique	Impérial
● Veau dans l'épaule, coupé en cubes	500 g	1 lb
Oignon entier	1 moyen	1 moyen
Bouillon de poulet dégraissé	375 mL	1½ tasse
Thym	1 mL	¼ c. à thé
Zestes d'orange	15 mL	1 c. à table
Carottes coupées en bâtonnets	4 petites	4 petites
● Lait 2% M.G.	125 mL	½ tasse
Fécule de maïs	30 mL	2 c. à table
Eau froide	25 mL	2 c. à table
Safran (facultatif)	1 pincée	1 pincée
Orange pelée, tranchée	1 moyenne	1 moyenne

RENDEMENT : *4 portions*

MODE DE PRÉPARATION

● Placer le veau, l'oignon entier, le bouillon, le thym et les zestes dans une marmite.
Amener à ébullition.
Laisser mijoter 20 minutes.

Ajouter les carottes et poursuivre la cuisson 20 minutes.
Couler le bouillon.
Garder le veau et les carottes.

● Mélanger le bouillon coulé et le lait dans une casserole.
Amener à ébullition.
Ajouter la fécule délayée dans l'eau.
Cuire en brassant 10 minutes ou jusqu'à épaississement.
Ajouter le safran, les tranches d'orange, le veau et les carottes.
Chauffer 2 minutes.
Servir sur du riz et décorer d'orange.

TEMPS DE PRÉPARATION : *25 minutes*
TEMPS DE CUISSON : *1 heure*

GUIDE ALIMENTAIRE

PRODUITS LAITIERS	VIANDE POISSON VOLAILLE	PAINS CÉRÉALES	FRUITS LÉGUMES
	●		●

RÉGIME AVEC ÉQUIVALENTS

NIL	LAIT 2% M.G.	LÉGUMES	FRUIT	PAIN	VIANDE	GRAS	TENEUR EN GLUCIDES
		A ■		◪	■■■		16 g

77

INGRÉDIENTS

Marinade

	Métrique	Impérial
• **Jus d'ananas non sucré**	250 mL	1 tasse
Huile	25 mL	2 c. à table
Clou de girofle entier	1	1
Moutarde de Dijon	15 mL	1 c. à table
Zestes d'orange	5 mL	1 c. à thé
• **Jambon coupé en cubes**	500 mL	2 tasses
Ananas non sucré, en morceaux	500 mL	2 tasses
Carottes coupées en tranches épaisses, blanchies	4 moyennes	4 moyennes
Poivrons verts coupés en morceaux carrés	2 moyens	2 moyens

RENDEMENT : *4 portions*

MODE DE PRÉPARATION

Marinade

• Mélanger tous les ingrédients.

• Mariner les aliments 6 à 8 heures.
Embrocher les aliments en alternant.
Cuire au four à 220°C (425°F) 5 minutes, puis griller 3 minutes de chaque côté, en arrosant de marinade à quelques reprises.

TEMPS DE PRÉPARATION : *20 minutes*
TEMPS DE CUISSON : *10 minutes*

GUIDE ALIMENTAIRE

LAIT PRODUITS LAITIERS	VIANDE POISSON VOLAILLE	PAINS CÉRÉALES	FRUITS LÉGUMES
	●		●

RÉGIME AVEC ÉQUIVALENTS

NIL	LAIT 2% M.G.	LÉGUMES	FRUIT	PAIN	VIANDE	GRAS	TENEUR EN GLUCIDES
		■	■		■■■		20 g

CHOUCROUTE À L'ALSACIENNE

INGRÉDIENTS

	Métrique	Impérial
• **Côtelettes de porc**	**4 petites (500 g)**	**4 petites (1 lb)**
• **Oignon haché**	**1 moyen**	**1 moyen**
Choucroute en conserve, rincée	**1 boîte de 796 mL**	**1 boîte de 28 onces**
Ail haché	**1 gousse**	**1 gousse**
Poivre	**1 pincée**	**1 pincée**
Sel	**1 mL**	**¼ c. à thé**
Cidre	**200 mL**	**¾ tasse**
Saucisses de veau* coupées en deux	**2 moyennes (250 g)**	**2 moyennes (½ lb)**

MODE DE PRÉPARATION

● Enlever le gras des côtelettes et les brunir dans un poêlon à feu moyen.

● Ajouter tous les autres ingrédients. Couvrir et laisser mijoter 1 heure.

Servir la choucroute avec des pommes de terre persillées.

* Disponibles dans les charcuteries spécialisées.

RENDEMENT : *4 portions*

TEMPS DE PRÉPARATION : *15 minutes*
TEMPS DE CUISSON : *1 heure 15 minutes*

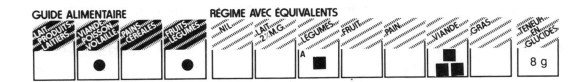

JAMBALAYA

INGRÉDIENTS	Métrique	Impérial
● **Riz brun**	**125 mL**	**½ tasse**
Bouillon de poulet dégraissé	**250 mL**	**1 tasse**
● **Bacon haché**	**2 tranches**	**2 tranches**
● **Oignon haché**	**125 mL**	**½ tasse**
Pois verts congelés	**125 mL**	**½ tasse**
● **Tomates en conserve égouttées, hachées**	**1 boîte de 796 mL**	**1 boîte de 28 onces**
Ail haché	**2 gousses**	**2 gousses**
Thym	**2 mL**	**½ c. à thé**
Poivre noir	**1 pincée**	**1 pincée**
Jambon coupé en languettes	**250 mL**	**1 tasse**
● **Crevettes congelées, cuites**	**375 mL**	**1½ tasse**
Persil frais haché	**15 mL**	**1 c. à table**

MODE DE PRÉPARATION

● Cuire le riz 20 minutes dans le bouillon de poulet, selon la méthode indiquée sur l'emballage. Égoutter.

● Cuire le bacon à feu moyen (il ne doit pas être croustillant). Égoutter sur du papier absorbant.

● Faire revenir les oignons et les pois verts dans le gras du bacon, à feu moyen, 3 minutes.

● Y ajouter les tomates, l'ail, le thym, le poivre noir, le jambon, le bacon et le riz cuit. Mélanger.

● Déposer les crevettes sur le mélange. Saupoudrer de persil. Couvrir et cuire au four à 180°C (350°F) 10 minutes.

RENDEMENT : *6 portions*

TEMPS DE PRÉPARATION : *35 minutes*
TEMPS DE CUISSON : *35 minutes*

GUIDE ALIMENTAIRE

LAIT ET PRODUITS LAITIERS	VIANDE POISSON VOLAILLE	PAINS ET CÉRÉALES	FRUITS ET LÉGUMES
	●	◑	●

RÉGIME AVEC ÉQUIVALENTS

NIL	LAIT 2% M.G.	LÉGUMES	FRUIT	PAIN	VIANDE	GRAS	TENEUR EN GLUCIDES
		A ■			■ ■ ■		21 g

PORC À L'ANANAS

INGRÉDIENTS

	Métrique	Impérial
• **Porc dégraissé, coupé en cubes**	**750 g**	**1½ lb**
Oignon haché	**1 moyen**	**1 moyen**
• **Sel**	**5 mL**	**1 c. à thé**
Poivre	**au goût**	**au goût**
Vinaigre	**25 mL**	**2 c. à table**
Sauce soya	**25 mL**	**2 c. à table**
Eau	**125 mL**	**½ tasse**
Jus d'ananas non sucré	**125 mL**	**½ tasse**
• **Ananas non sucré**	**6 tranches**	**6 tranches**
Poivron vert coupé en rondelles	**1 moyen**	**1 moyen**
Fécule de maïs	**15 mL**	**1 c. à table**
Eau froide	**25 mL**	**2 c. à table**

RENDEMENT : *4 portions*

MODE DE PRÉPARATION

• Faire revenir le porc et l'oignon à feu doux 10 minutes.

• Ajouter les assaisonnements, l'eau et le jus. Couvrir et laisser mijoter 30 minutes.

• Ajouter les ananas, le poivron et la fécule délayée dans l'eau. Cuire en brassant jusqu'à épaississement (10 minutes).

Servir sur du riz brun.

TEMPS DE PRÉPARATION : *20 minutes*
TEMPS DE CUISSON : *50 minutes*

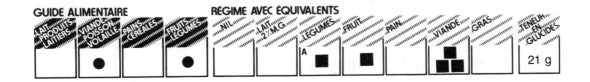

GUIDE ALIMENTAIRE | RÉGIME AVEC ÉQUIVALENTS

21 g

QUICHE LORRAINE

INGRÉDIENTS

	Métrique	Impérial
● **Pâte à tarte de blé entier** (voir p. 187)	1 abaisse	1 abaisse
● **Oeufs**	6	6
Lait 2% M.G.	250 mL	1 tasse
Muscade	1 pincée	1 pincée
Sel	1 mL	¼ c. à thé
Poivre de Cayenne	1 pincée	1 pincée
Poivre noir	1 pincée	1 pincée
● **Jambon coupé en dés**	250 mL	1 tasse
Fromage au lait écrémé, râpé	250 mL	1 tasse

RENDEMENT : *6 portions*

MODE DE PRÉPARATION

● Étendre l'abaisse dans une assiette à tarte.
La piquer à l'aide d'une fourchette.
Réfrigérer.

● Mêler les œufs, le lait et les assaisonnements.
Battre légèrement avec le batteur à œufs jusqu'à ce que le mélange soit homogène.

● Ajouter le jambon et la moitié du fromage.
Verser sur l'abaisse.
Garnir du reste de fromage.
Cuire au bas du four à 200°C (400°F) 10 minutes, poursuivre la cuisson à 180°C (350°F) 45 minutes.

TEMPS DE PRÉPARATION : *15 minutes*
TEMPS DE CUISSON : *55 minutes*

GUIDE ALIMENTAIRE

LAIT ET PRODUITS LAITIERS | VIANDE POISSON VOLAILLE | PAINS CÉRÉALES | FRUITS LÉGUMES

RÉGIME AVEC ÉQUIVALENTS

NIL | LAIT 2% M.G. | LÉGUMES | FRUIT | PAIN | VIANDE | GRAS | TENEUR EN GLUCIDES

A | B | | | | | | 15 g

ROULADES DE JAMBON

INGRÉDIENTS

	Métrique	Impérial
● **Huile**	15 mL	1 c. à table
Oignon haché	1 moyen	1 moyen
Champignons hachés	500 mL	2 tasses
● **Jambon cuit**	12 tranches minces	12 tranches minces
● **Brocoli congelé**	2 paquets de 284 g	2 paquets de 10 onces
Sauce au cari		
● **Fromage au lait écrémé, râpé**	125 mL	½ tasse
Poudre de cari	5 mL	1 c. à thé
Sauce béchamel au blé entier (voir p. 210)	½ recette	½ recette

MODE DE PRÉPARATION

- ● Chauffer l'huile dans un poêlon.
  Y faire revenir l'oignon à feu moyen, 3 minutes.
  Ajouter les champignons ; faire revenir 2 minutes.
  Retirer du feu.

- ● Garnir chaque tranche de jambon du mélange de légumes cuits.

- ● Y déposer une tige de brocoli en laissant dépasser les fleurs.
  Rouler et déposer dans un plat en pyrex.

Sauce au cari

- ● Ajouter le fromage et la poudre de cari à la sauce.
  Cuire à feu doux jusqu'à l'obtention d'une texture homogène.
  Napper les roulades.
  Couvrir et cuire au four à 180°C (350°F) 30 minutes.
  Découvrir et cuire encore 5 minutes.

RENDEMENT : *4 portions*

TEMPS DE PRÉPARATION : *30 minutes*
TEMPS DE CUISSON : *40 minutes*

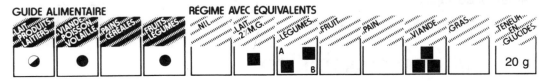

GUIDE ALIMENTAIRE — RÉGIME AVEC ÉQUIVALENTS

83

COURGETTES FARCIES

INGRÉDIENTS

	Métrique	Impérial
• **Courgettes**	**4 moyennes**	**4 moyennes**
• **Bœuf haché maigre**	**350 g**	**¾ lb**
Oignon haché	**1 moyen**	**1 moyen**
Oeuf	**1**	**1**
Persil frais haché	**25 mL**	**2 c. à table**
Sel	**2 mL**	**½ c. à thé**
Poivre	**1 pincée**	**1 pincée**
Sauge	**2 mL**	**½ c. à thé**
• **Bouillon de bœuf dégraissé**	**500 mL**	**2 tasses**
Citron tranché	**½**	**½**

RENDEMENT : *4 portions*

MODE DE PRÉPARATION

• Peler délicatement les courgettes.
  Creuser le centre des courgettes en retirant la chair, à l'aide d'un couteau.

• Mélanger tous les ingrédients.
  En farcir les courgettes et faire 4 boulettes avec le surplus.

• Mélanger le bouillon et le citron dans une casserole, puis ajouter les courgettes farcies et les boulettes.
  Couvrir et laisser mijoter 45 minutes.

TEMPS DE PRÉPARATION : *25 minutes*
TEMPS DE CUISSON : *45 minutes*

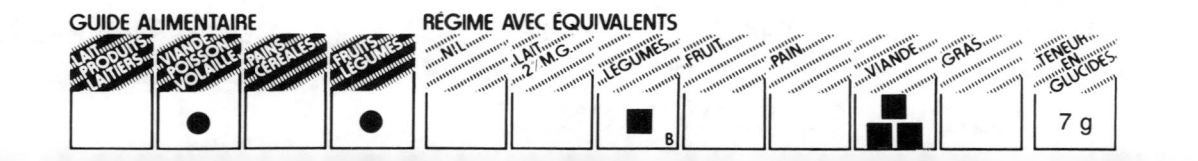

GUIDE ALIMENTAIRE | RÉGIME AVEC ÉQUIVALENTS

LAIT ET PRODUITS LAITIERS | VIANDE, POISSON, VOLAILLE | PAINS ET CÉRÉALES | FRUITS ET LÉGUMES | NIL | LAIT 2% / M.G. | LÉGUMES | FRUIT | PAIN | VIANDE | GRAS | TENEUR EN GLUCIDES : 7 g

GRATIN D'AUBERGINE

INGRÉDIENTS

	Métrique	Impérial
• **Sauce à la viande et aux tomates* (voir p. 90)**	500 mL	2 tasses
• **Aubergine pelée, tranchée**	1 moyenne	1 moyenne
• **Fromage cottage**	250 mL	1 tasse
Bacon cuit, émietté	3 tranches	3 tranches
Persil frais haché	15 mL	1 c. à table

MODE DE PRÉPARATION

- Étendre la sauce dans un plat en pyrex de 40 cm × 25 cm × 5 cm (15 po. × 10 po. × 2 po.).

- Y déposer l'aubergine.

- Passer le fromage cottage au mélangeur jusqu'à consistance crémeuse.
  Étendre sur les aubergines.
  Garnir de bacon émietté.
  Recouvrir d'un papier d'aluminium et cuire au four à 160°C (325°F) 45 minutes.
  Garnir de persil frais.

* Utiliser pour varier la sauce aux lentilles et au bœuf (voir p. 90).

RENDEMENT : *4 portions*

TEMPS DE PRÉPARATION : *20 minutes*
TEMPS DE CUISSON : *45 minutes*

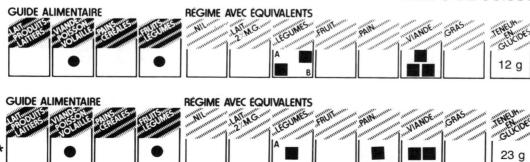

MOUSSAKA

INGRÉDIENTS	Métrique	Impérial
• Bœuf haché maigre	350 g	¾ lb
• Aubergine pelée, tranchée mince	1 moyenne	1 moyenne
Oignons tranchés	375 mL	1½ tasse
Tomates	250 mL	1 tasse
Persil frais haché	50 mL	¼ tasse
Sel	10 mL	2 c. à thé
Origan	1 pincée	1 pincée
Poivre	1 pincée	1 pincée
Sauce		
• Lait 2% M.G.	500 mL	2 tasses
Oignon haché	50 mL	¼ tasse
Fécule de maïs	30 mL	2 c. à table
Eau froide	50 mL	¼ tasse
Sel	au goût	au goût
Poivre	au goût	au goût
• Chapelure de pain	50 mL	¼ tasse

MODE DE PRÉPARATION

- Brunir la viande à feu moyen dans un poêlon.

- Ajouter les légumes et les assaisonnements. Cuire à feu moyen 5 minutes.

Sauce

- Faire chauffer le lait et l'oignon jusqu'à ébullition. Ajouter la fécule délayée dans l'eau. Assaisonner et cuire en brassant jusqu'à épaississement.

- Couvrir de chapelure le fond d'un plat en pyrex de 40 cm × 25 cm × 5 cm (15 po. × 10 po. × 2 po.). Y déposer la moitié du mélange d'aubergine et de viande, puis la moitié de la sauce. Répéter.

| • Oeufs battus | 2 | 2 |
| Fromage au lait écrémé, râpé | 125 mL | ½ tasse |

RENDEMENT : *6 portions*

• Verser les œufs battus sur le tout et garnir de fromage râpé.
Cuire au four à 180°C (350°F) 40 minutes.

TEMPS DE PRÉPARATION : *30 minutes*
TEMPS DE CUISSON : *55 minutes*

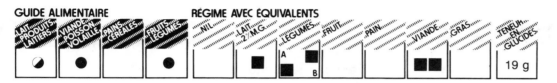

STEAK SUISSE

INGRÉDIENTS

	Métrique	Impérial
● **Bifteck de ronde**	**350 g**	**¾ lb**
● **Farine tout usage**	**15 mL**	**1 c. à table**
Sel	**au goût**	**au goût**
Poivre	**au goût**	**au goût**
● **Champignons tranchés**	**375 mL**	**1½ tasse**
Oignon tranché	**1 moyen**	**1 moyen**
Tomate tranchée	**1 moyenne**	**1 moyenne**
Persil frais haché	**25 mL**	**2 c. à table**
Marjolaine	**1 pincée**	**1 pincée**
Thym	**1 pincée**	**1 pincée**
Laurier	**1 feuille**	**1 feuille**
Cidre	**50 mL**	**¼ tasse**
Eau	**250 mL**	**1 tasse**

RENDEMENT : *4 portions*

MODE DE PRÉPARATION

● Couper le bifteck en quatre parties égales. Enlever le surplus de gras.

● Enrober les morceaux de viande de farine assaisonnée.
Les placer dans un plat en pyrex de 40 cm × 25 cm × 5 cm (15 po. × 10 po. × 2 po.).

● Déposer tous les autres ingrédients sur le bifteck. Couvrir et cuire au four à 180°C (350°F) 2 heures.

Retirer la feuille de laurier et servir.

TEMPS DE PRÉPARATION : *15 minutes*
TEMPS DE CUISSON : *2 heures*

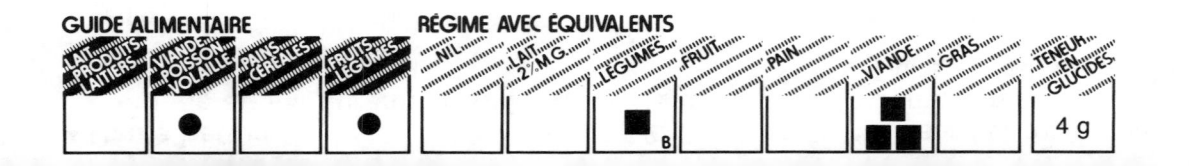

SALADE AU BŒUF ET AUX LÉGUMES

INGRÉDIENTS

	Métrique	Impérial
• **Huile**	**25 mL**	**2 c. à table**
Vinaigre de vin	**25 mL**	**2 c. à table**
Origan	**1 pincée**	**1 pincée**
Ail haché	**1 gousse**	**1 gousse**
Moutarde de Dijon	**7 mL**	**1½ c. à thé**
Sel de céleri	**1 mL**	**¼ c. à thé**
Sel	**2 mL**	**½ c. à thé**
Poivre	**au goût**	**au goût**
Bœuf cuit*, coupé en cubes	**300 mL**	**1¼ tasse**
Oignon coupé en rondelles	**1 moyen**	**1 moyen**
• **Tomate coupée en cubes**	**1 moyenne**	**1 moyenne**
Persil frais haché	**15 mL**	**1 c. à table**
Laitue	**4 feuilles**	**4 feuilles**

* Voilà une façon originale d'utiliser les surplus de bœuf cuit.

RENDEMENT : *4 portions*

MODE DE PRÉPARATION

• Mélanger les 10 premiers ingrédients.
  Mettre au réfrigérateur au moins 1 heure ; retourner les cubes de viande 3 à 4 fois pendant ce temps.

• Ajouter la tomate et le persil.
  Mélanger délicatement.
  Servir sur une feuille de laitue.

TEMPS DE PRÉPARATION : *10 minutes*

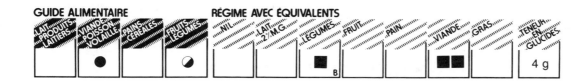

SAUCE À LA VIANDE ET AUX TOMATES

INGRÉDIENTS	Métrique	Impérial
• Bœuf haché maigre	750 g	1½ lb
• Oignon haché	1 moyen	1 moyen
Poivrons verts hachés	2 moyens	2 moyens
Céleri haché	250 mL	1 tasse
Champignons tranchés	500 mL	2 tasses
• Purée de tomates	1 boîte de 142 mL	1 boîte de 5 onces
Sauce tomate	1 boîte de 199 mL	1 boîte de 7 onces
Tomates en conserve	1 boîte de 398 mL	1 boîte de 14 onces
Jus de tomate	150 mL	⅔ tasse
Thym	2 mL	½ c. à thé
Marjolaine	1 mL	¼ c. à thé
Origan	2 mL	½ c. à thé
Poivre de Cayenne	1 mL	¼ c. à thé
Piments rouges broyés	1 mL	¼ c. à thé
Laurier	4 feuilles	4 feuilles
Sel	au goût	au goût
Poivre	au goût	au goût
Ail haché	2 gousses	2 gousses
Eau	500 mL	2 tasses

MODE DE PRÉPARATION

- Cuire le bœuf à feu moyen, dans une grande casserole, jusqu'à ce que le gras de la viande soit apparent.

- Ajouter les légumes.
  Faire cuire jusqu'à ce qu'ils soient tendres.

- Ajouter tous les autres ingrédients.
  Couvrir et cuire à feu doux 1 heure.
  Découvrir et cuire encore 1 heure.

Servir avec des pâtes alimentaires.
Note : se congèle bien.

RENDEMENT : *10 portions de 175 mL (¾ tasse)*

TEMPS DE PRÉPARATION : *30 minutes*
TEMPS DE CUISSON : *2 heures 15 minutes*

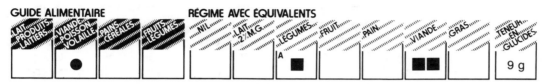

SAUCE AUX LENTILLES ET AU BŒUF

INGRÉDIENTS	Métrique	Impérial
• **Bœuf haché maigre**	**350 g**	**¾ lb**
• **Oignons hachés**	**2 moyens**	**2 moyens**
Poivrons verts hachés	**2 moyens**	**2 moyens**
Céleri haché	**250 mL**	**½ tasse**
Champignons tranchés	**500 mL**	**2 tasses**
• **Lentilles sèches**	**250 mL**	**1 tasse**
ou		
en conserve, égouttées	**625 mL**	**2½ tasses**
Purée de tomates	**1 boîte**	**1 boîte**
	de 142 mL	**de 5 onces**
Sauce tomate	**1 boîte**	**1 boîte**
	de 398 mL	**de 14 onces**
Tomates en conserve	**1 boîte**	**1 boîte**
	de 796 mL	**de 28 onces**
Jus de tomate	**375 mL**	**1½ tasse**
Thym	**2 mL**	**½ c. à thé**
Marjolaine	**1 mL**	**¼ c. à thé**
Origan	**2 mL**	**½ c. à thé**
Poivre de Cayenne	**1 mL**	**¼ c. à thé**
Piments rouges broyés	**1 mL**	**¼ c. à thé**
Laurier	**4 feuilles**	**4 feuilles**
Sel	**au goût**	**au goût**
Poivre	**au goût**	**au goût**
Ail haché	**2 gousses**	**2 gousses**

MODE DE PRÉPARATION

- Cuire le bœuf à feu moyen dans une casserole, jusqu'à ce que le gras de la viande soit apparent.

- Ajouter les légumes.

- Cuire les lentilles sèches selon la méthode indiquée à la page 236.
  Réduire les lentilles en purée.
  Ajouter à la viande ainsi que tous les autres ingrédients.
  Bien mélanger.
  Couvrir et cuire à feu doux 2 heures.

Servir avec des pâtes alimentaires.
Note : se congèle bien.

RENDEMENT : *16 portions de 125 mL (½ tasse)*

TEMPS DE PRÉPARATION : *45 minutes*
TEMPS DE CUISSON : *2 heures 15 minutes*
(lentilles sèches : 30 à 45 minutes)

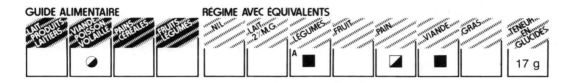

GUIDE ALIMENTAIRE

RÉGIME AVEC ÉQUIVALENTS

LAIT PRODUITS LAITIERS | VIANDE POISSON VOLAILLE | PAINS CÉRÉALES | FRUITS LÉGUMES | NIL | LAIT 2 % M.G. | LÉGUMES | FRUIT | PAIN | VIANDE | GRAS | TENEUR EN GLUCIDES

17 g

CŒURS FARCIS AU FOUR

INGRÉDIENTS	Métrique	Impérial
• Cœurs de porc	2 moyens	2 moyens
Eau	1 L	4 tasses
Vinaigre	15 mL	1 c. à table
Farce		
• Oignon haché	1 moyen	1 moyen
Céleri haché	50 mL	¼ tasse
Mie de pain de blé entier, coupée en cubes	2 tranches	2 tranches
Oeuf battu	1	1
Sel	5 mL	1 c. à thé
Poivre	1 pincée	1 pincée
Sauge	5 mL	1 c. à thé
• Bouillon dégraissé ou eau	500 mL	2 tasses
• Fécule de maïs	50 mL	3 c. à table
Eau froide	50 mL	3 c. à table

MODE DE PRÉPARATION

- Laisser tremper les cœurs au moins 1 heure dans l'eau vinaigrée.
  Retirer les membranes rigides et le gras des cœurs à l'aide d'un couteau tranchant.

Farce

- Mélanger l'oignon, le céleri, la mie de pain, l'œuf et les assaisonnements.
  Farcir les cœurs.
  Fermer la cavité avec des brochettes et ficeler.

- Verser le bouillon dans une cocotte.
  Y déposer les cœurs.
  Couvrir et cuire au four à 160°C (325°F) 2 heures ou jusqu'à tendreté.
  Retirer les cœurs de la cocotte.

- Ajouter au bouillon la fécule délayée dans l'eau.
  Amener à ébullition.
  Cuire à feu moyen 10 minutes en brassant jusqu'à épaississement.
  Napper les cœurs de cette sauce.

RENDEMENT : *4 portions*

TEMPS DE PRÉPARATION : *30 minutes*
TEMPS DE CUISSON : *2 heures 10 minutes*

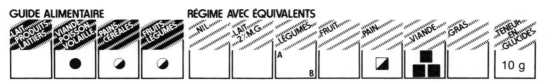

CANNELLONIS À L'AGNEAU

INGRÉDIENTS	Métrique	Impérial
● **Huile**	**10 mL**	**2 c. à thé**
Céleri haché	**250 mL**	**1 tasse**
Ail haché	**1 gousse**	**1 gousse**
Champignons hachés	**250 mL**	**1 tasse**
Sauce		
● **Lait 2% M.G.**	**500 mL**	**2 tasses**
Sel	**0,5 mL**	**⅛ c. à thé**
Poivre	**0,5 mL**	**⅛ c. à thé**
Muscade	**0,5 mL**	**⅛ c. à thé**
Menthe séchée	**2 mL**	**½ c. à thé**
Persil frais haché	**15 mL**	**1 c. à table**
Fécule de maïs	**30 mL**	**2 c. à table**
Eau froide	**50 mL**	**¼ tasse**
● **Agneau cuit*, haché**	**625 mL**	**2½ tasses**
Fromage parmesan râpé	**50 mL**	**¼ tasse**

MODE DE PRÉPARATION

● Chauffer l'huile dans un poêlon.
Y faire sauter le céleri, l'ail et les champignons à feu moyen 5 minutes.
Mettre de côté.

Sauce

● Mélanger le lait et les assaisonnements.
Chauffer à feu doux 5 à 10 minutes.
Ajouter la fécule délayée dans l'eau et brasser jusqu'à épaississement.

● Prendre 200 mL (¾ tasse) de la sauce et y ajouter les légumes, l'agneau et le fromage parmesan.
Bien mélanger.

● **Cannellonis cuits**	**12**	**12**
Fromage partiellement écrémé, râpé	**125 mL**	**½ tasse**
Persil frais haché	**25 mL**	**2 c. à table**

● Farcir les cannellonis de la préparation de viande.
Déposer dans un plat à gratin graissé.
Napper du reste de la sauce.
Garnir de fromage.
Couvrir ; cuire au four à 180°C (350°F) 15 minutes.
Découvrir ; griller environ 2 minutes.
Décorer de persil et servir.

* Voilà une façon originale d'employer les surplus d'agneau cuit.

RENDEMENT : *6 portions*

TEMPS DE PRÉPARATION : *30 minutes*
TEMPS DE CUISSON : *30 minutes*

PAIN D'AGNEAU

INGRÉDIENTS

	Métrique	Impérial
● **Agneau cuit*, haché à la main**	**750 mL**	**3 tasses**
Flocons d'avoine	**50 mL**	**¼ tasse**
Oeufs battus	**2**	**2**
Persil frais haché	**15 mL**	**1 c. à table**
Sel	**1 mL**	**¼ c. à thé**
Poivre	**1 pincée**	**1 pincée**
Marjolaine	**1 mL**	**¼ c. à thé**
Ail haché	**2 gousses**	**2 gousses**
Bouillon de poulet ou d'agneau dégraissé	**125 mL**	**½ tasse**

* Voilà une façon originale d'utiliser les surplus d'agneau cuit.

RENDEMENT : *6 portions*

MODE DE PRÉPARATION

● Mélanger tous les ingrédients.
Verser dans un moule à pain graissé.
Cuire au four à 180°C (350°F) 25 minutes.

Servir avec la sauce aux pommes et à la menthe (voir p.208).

TEMPS DE PRÉPARATION : *20 minutes*
TEMPS DE CUISSON : *25 minutes*

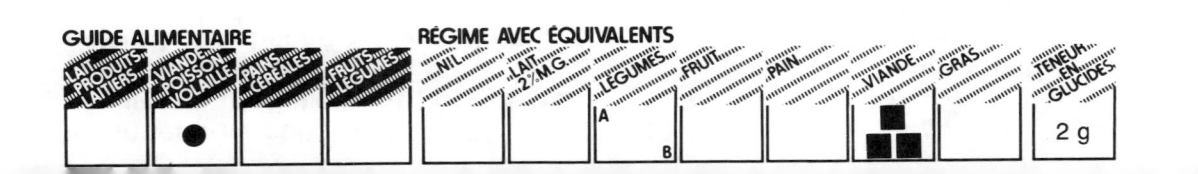

GUIDE ALIMENTAIRE — LAIT PRODUITS LAITIERS — VIANDE POISSON VOLAILLE — PAINS CÉRÉALES — FRUITS LÉGUMES

RÉGIME AVEC ÉQUIVALENTS — NIL — LAIT 2% M.G. — LÉGUMES — FRUIT — PAIN — VIANDE — GRAS — TENEUR EN GLUCIDES

A B 2 g

FOIE EN CASSEROLE

INGRÉDIENTS

	Métrique	Impérial
● **Foie de porc**	**500 g**	**1 lb**
Lait 2% M.G.	**250 mL ou plus**	**1 tasse ou plus**
● **Huile**	**10 mL**	**2 c. à thé**
Oignon haché	**1 moyen**	**1 moyen**
● **Bacon**	**2 tranches**	**2 tranches**
● **Farine tout usage**	**15 mL**	**1 c. à table**
Cidre	**125 mL**	**½ tasse**
Laurier	**1 feuille**	**1 feuille**
Thym	**2 mL**	**½ c. à thé**
Sel	**au goût**	**au goût**
Poivre	**au goût**	**au goût**

RENDEMENT : *6 portions*

MODE DE PRÉPARATION

- Recouvrir le foie de lait et laisser tremper pendant 6 heures.
  Égoutter.

- Chauffer l'huile dans un poêlon.
  Faire sauter l'oignon à feu moyen 5 minutes.
  Retirer les oignons.

- Déposer le foie et le bacon dans le poêlon.
  Cuire 8 minutes et les retirer.

- Mélanger la farine et le cidre.
  Verser dans le poêlon.
  Laisser mijoter 3 minutes.
  Ajouter le foie, les oignons, le bacon et les assaisonnements.
  Couvrir et cuire à feu doux 1½ heure.

TEMPS DE PRÉPARATION : *20 minutes*
TEMPS DE CUISSON : *1 heure 45 minutes*

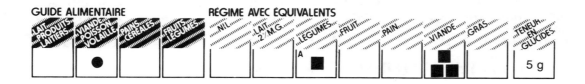

GUIDE ALIMENTAIRE — RÉGIME AVEC ÉQUIVALENTS

PILAF À L'ORGE ET AU FOIE

INGRÉDIENTS

	Métrique	Impérial
Orge perlé	**75 mL**	**⅓ tasse**
Bouillon de poulet dégraissé	150 mL	⅔ tasse
Sel	au goût	au goût
Poivre	au goût	au goût
Romarin	au goût	au goût
Oignon haché	**1 moyen**	**1 moyen**
Poivron vert coupé en lanières	125 mL	½ tasse
Poivron rouge coupé en lanières	50 mL	¼ tasse
Céleri coupé en biseaux	125 mL	½ tasse
Bouillon de poulet dégraissé	50 mL	¼ tasse
Huile	**20 mL**	**4 c. à thé**
Foies de poulet parés et coupés en quatre	350 g	¾ lb

MODE DE PRÉPARATION

- Mettre l'orge, le bouillon et les assaisonnements dans une casserole.
  Couvrir et cuire à feu moyen jusqu'à ce que l'orge soit cuit (30 à 40 minutes).
  Le liquide sera presque entièrement absorbé.

- Cuire les légumes dans le bouillon à feu moyen 1 minute environ.
  Garder au chaud.

- Chauffer l'huile dans un poêlon.
  Faire sauter les foies à feu moyen 5 minutes.
  Mélanger l'orge, les légumes et les foies de poulet.

  Servir immédiatement.

RENDEMENT : *4 portions*

TEMPS DE PRÉPARATION : *10 minutes*
TEMPS DE CUISSON : *40 à 50 minutes*

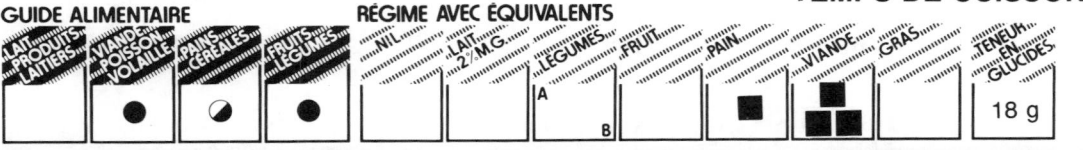

GUIDE ALIMENTAIRE — RÉGIME AVEC ÉQUIVALENTS

BOUCLES AU FROMAGE

INGRÉDIENTS

	Métrique	Impérial
• **Boucles* cuites (petites)**	**500 mL**	**2 tasses**
Carottes coupées en dés, cuites	**125 mL**	**½ tasse**
• **Fromage cottage**	**375 mL**	**1½ tasse**
Lait 2% M.G.	**50 mL**	**¼ tasse**
Sel	**1 pincée**	**1 pincée**

Garniture

• **Oignons verts hachés**	**2**	**2**
Graines de tournesol	**25 mL**	**2 c. à table**
Ail haché	**1 gousse**	**1 gousse**
Basilic	**1 mL**	**¼ c. à thé**
Persil frais haché	**15 mL**	**1 c. à table**
Chapelure de pain	**15 mL**	**1 c. à table**
Fromage parmesan râpé	**25 mL**	**2 c. à table**

* Genre de pâtes alimentaires

RENDEMENT : *4 portions*

MODE DE PRÉPARATION

- Déposer les boucles et les carottes dans un plat graissé allant au four.

- Mélanger le fromage, le lait et le sel ; fouetter au batteur électrique.
  Étendre sur les boucles.
  Couvrir et cuire au four à 180°C (350°F) 10 minutes.

Garniture

- Mélanger tous les ingrédients de la garniture.
  En parsemer la préparation de fromage et de boucles.
  Griller environ 2 minutes.

TEMPS DE PRÉPARATION : *20 minutes*
TEMPS DE CUISSON : *10 à 15 minutes*

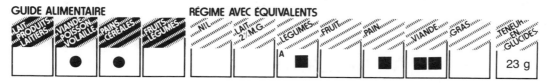

GUIDE ALIMENTAIRE

RÉGIME AVEC ÉQUIVALENTS

23 g

101

CROQUETTES DE FROMAGE

INGRÉDIENTS

	Métrique	Impérial
● Fromage cottage	250 mL	1 tasse
Fromage au lait écrémé, râpé	250 mL	1 tasse
Fromage suisse râpé	250 mL	1 tasse
Chapelure de pain	125 mL	½ tasse
Persil frais haché	25 mL	2 c. à table
Oignons verts hachés	3	3
Basilic	1 pincée	1 pincée
Oeuf battu	1	1

RENDEMENT : *4 portions*

MODE DE PRÉPARATION

● Mélanger tous les ingrédients.
Faire 8 croquettes.
Déposer sur une plaque à biscuits graissée.
Cuire au four à 190°C (375°F) 10 minutes.

TEMPS DE PRÉPARATION : *10 minutes*
TEMPS DE CUISSON : *10 minutes*

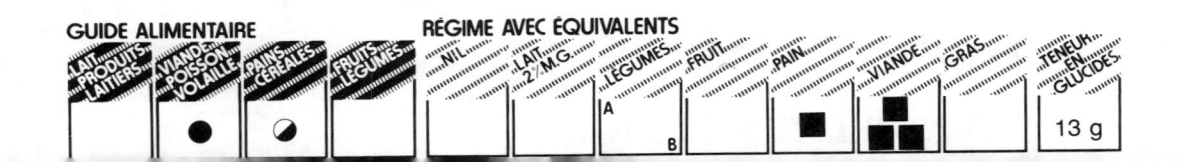

GUIDE ALIMENTAIRE — LAIT PRODUITS LAITIERS — VIANDE POISSON VOLAILLE — PAINS CÉRÉALES — FRUITS LÉGUMES

RÉGIME AVEC ÉQUIVALENTS — N'IL — LAIT 2% M.G. — LÉGUMES A B — FRUIT — PAIN — VIANDE — GRAS — TENEUR EN GLUCIDES 13 g

« FÈVES AU LARD »

INGRÉDIENTS

	Métrique	Impérial
• Petits haricots blancs secs	500 g	1 lb
Eau	1,25 L	5 tasses
Lard salé	125 g	¼ lb
• Oignons coupés en quartiers	2 moyens	2 moyens
Moutarde sèche	10 mL	2 c. à thé
Tomates en conserve, égouttées	1 boîte de 796 mL	1 boîte de 28 onces
Miel	25 mL	2 c. à table
Sel (si désiré)	5 mL	1 c. à thé

RENDEMENT : *18 portions de 75 mL (⅓ tasse)*

MODE DE PRÉPARATION

- Mettre les haricots, l'eau et le lard salé dans une cocotte de 2 L (2 pintes).
  Couvrir et amener à ébullition.
  Laisser mijoter 1½ heure.

- Ajouter l'oignon, la moutarde sèche, les tomates et le miel.
  Mélanger.
  Ajouter de l'eau, juste pour recouvrir les haricots.
  Cuire au four à 160°C (325°F) pendant 2 heures ou jusqu'à ce que les haricots soient tendres.

Servir avec légumes et saucisses ou omelette ou jambon (ne pas consommer le lard).

TEMPS DE PRÉPARATION : *10 minutes*
TEMPS DE CUISSON : *3 heures 30 minutes*

GUIDE ALIMENTAIRE — LAIT ET PRODUITS LAITIERS, VIANDE POISSON VOLAILLE, PAINS CÉRÉALES, FRUITS LÉGUMES

RÉGIME AVEC ÉQUIVALENTS — NIL, LAIT 2% M.G., LÉGUMES, FRUIT, PAIN, VIANDE, GRAS, TENEUR EN GLUCIDES 20 g

HARICOTS MUNGO ET RIZ À L'ITALIENNE

INGRÉDIENTS

Ingrédient	Métrique	Impérial
● **Huile**	**15 mL**	**1 c. à table**
Brocoli coupé en lanières	**375 mL**	**1½ tasse**
Carotte coupée en bâtonnets	**1 moyenne**	**1 moyenne**
Céleri coupé en biseaux	**250 mL**	**1 tasse**
Tomates tranchées	**2 moyennes**	**2 moyennes**
Ail haché	**2 gousses**	**2 gousses**
Basilic	**4 mL**	**¾ c. à thé**
Origan	**1 mL**	**¼ c. à thé**
Sel	**5 mL**	**1 c. à thé**
● **Haricots mungo secs**	**75 mL**	**⅓ tasse**
● **Riz brun, cuit**	**175 mL**	**¾ tasse**
Fromage au lait écrémé, râpé	**125 mL**	**½ tasse**
● **Persil frais haché**	**50 mL**	**¼ tasse**

RENDEMENT : *4 portions*

MODE DE PRÉPARATION

● Chauffer l'huile dans un poêlon.
Faire sauter tous les légumes à feu moyen, 5 minutes.
Assaisonner.

● Cuire les haricots selon la méthode indiquée à la page 236.

● Mélanger les légumes, les haricots, le riz et le fromage.
Chauffer à feu doux jusqu'à ce que le fromage soit fondu.

● Ajouter le persil et bien mélanger.

TEMPS DE PRÉPARATION : *20 minutes*
TEMPS DE CUISSON : *30 à 40 minutes*

GUIDE ALIMENTAIRE

LAIT ET PRODUITS LAITIERS	VIANDE, POISSON, VOLAILLE	PAINS ET CÉRÉALES	FRUITS ET LÉGUMES
	◑	●	●

RÉGIME AVEC ÉQUIVALENTS

NIL	LAIT 2% / M.G.	LÉGUMES	FRUIT	PAIN	VIANDE	GRAS	TENEUR EN GLUCIDES
		A ■ B ■		■	■		27 g

MACÉDOINE DE SOYA

INGRÉDIENTS

	Métrique	Impérial
• **Soya**	**150 mL**	**⅔ tasse**
Moutarde sèche ou en grains	**5 mL**	**1 c. à thé**
• **Haricots verts coupés en biseaux, blanchis**	**125 mL**	**½ tasse**
Céleri tranché, blanchi	**125 mL**	**½ tasse**
Brocoli coupé en dés, blanchi	**125 mL**	**½ tasse**
Poivron vert coupé en lanières	**1 moyen**	**1 moyen**
Oignon haché	**1 moyen**	**1 moyen**
Tomates en conserve, égouttées	**175 mL**	**¾ tasse**
Sauce anglaise (genre Worcestershire)	**5 mL**	**1 c. à thé**
Poivre	**1 mL**	**¼ c. à thé**
Origan	**1 mL**	**¼ c. à thé**
Poudre de chili	**1 mL**	**¼ c. à thé**
Fromage au lait écrémé, râpé	**250 mL**	**1 tasse**

RENDEMENT : *4 portions*

MODE DE PRÉPARATION

• Préparer et cuire le soya selon la méthode indiquée à la page 236, en assaisonnant l'eau de cuisson avec la moutarde.

• Mélanger le soya, les légumes, les assaisonnements ainsi que la moitié du fromage.
Verser dans une cocotte graissée de 1,5 L (1½ pinte).
Saupoudrer du reste du fromage.
Couvrir et cuire au four à 180°C (350°F) 20 minutes.
Découvrir et cuire encore 10 minutes.

TEMPS DE PRÉPARATION : *30 minutes*
TEMPS DE CUISSON : *30 minutes*
(soya sec : 3 heures)

GUIDE ALIMENTAIRE — LAIT ET PRODUITS LAITIERS, VIANDE-POISSON-VOLAILLE, PAINS ET CÉRÉALES, FRUITS ET LÉGUMES

RÉGIME AVEC ÉQUIVALENTS — NIL, LAIT 2% M.G., LÉGUMES, FRUIT, PAIN, VIANDE, GRAS, TENEUR EN GLUCIDES — 19 g

PAIN AUX LÉGUMINEUSES

INGRÉDIENTS

Ingrédient	Métrique	Impérial
• Pois chiches secs **ou**	150 mL	⅔ tasse
en conserve, égouttés	425 mL	1¾ tasse
• Oignon haché	1 moyen	1 moyen
Céleri haché	1 branche	1 branche
Poivron vert haché	125 mL	½ tasse
Carotte râpée	1 moyenne	1 moyenne
Oeufs battus	3	3
Fromage partiellement écrémé, râpé	250 mL	1 tasse
Flocons d'avoine	75 mL	⅓ tasse
Persil frais haché	25 mL	2 c. à table
Basilic	1 mL	¼ c. à thé
Sauce soya	5 mL	1 c. à thé
Ail haché	2 gousses	2 gousses
Sauce anglaise (genre Worcestershire)	5 mL	1 c. à thé

RENDEMENT : 5 portions

MODE DE PRÉPARATION

- Cuire les pois chiches secs selon la méthode indiquée à la page 236.
  Écraser les pois chiches avec un pilon à pomme de terre.

- Ajouter tous les autres ingrédients et bien mélanger.
  Verser dans un moule à pain graissé.
  Cuire au four à 180°C (350°F) 1 heure.

Servir avec la sauce tomate (voir p. 215).

TEMPS DE PRÉPARATION : 30 minutes
TEMPS DE CUISSON : 1 heure
(pois chiches secs : 2 heures)

GUIDE ALIMENTAIRE · RÉGIME AVEC ÉQUIVALENTS

POIVRONS FARCIS AU FROMAGE

INGRÉDIENTS

	Métrique	Impérial
• **Poivrons verts**	**4 moyens**	**4 moyens**
• **Fromage cottage**	**375 mL**	**1½ tasse**
Riz brun, cuit	**250 mL**	**1 tasse**
Ketchup	**25 mL**	**2 c. à table**
Sauce anglaise	**5 mL**	**1 c. à thé**
(genre Worcestershire)		
Origan	**1 pincée**	**1 pincée**
Sel	**au goût**	**au goût**
Poivre	**au goût**	**au goût**
• **Fromage parmesan râpé**	**25 mL**	**2 c. à table**
Germe de blé	**15 mL**	**1 c. à table**

RENDEMENT : *4 portions*

MODE DE PRÉPARATION

- Couper les poivrons en deux, les évider et les cuire dans l'eau bouillante, 3 minutes. Égoutter.

- Mélanger le fromage, le riz, le ketchup, la sauce anglaise et les assaisonnements. Farcir les moitiés de poivrons de ce mélange.

- Saupoudrer de fromage et de germe de blé. Cuire au four à 190°C (375°F) 12 minutes.

TEMPS DE PRÉPARATION : *10 minutes*
TEMPS DE CUISSON : *10 à 15 minutes*

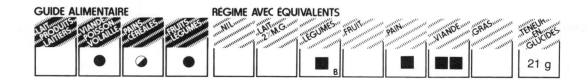

GUIDE ALIMENTAIRE — RÉGIME AVEC ÉQUIVALENTS

INGRÉDIENTS

	Métrique	Impérial
• Haricots flageolets* en conserve	250 mL	1 tasse
Haricots rouges en conserve	375 mL	1½ tasse
Huile	20 mL	4 c. à thé
Vinaigre de vin	50 mL	¼ tasse
Poireau coupé en rondelles	1 moyen	1 moyen
Sel	au goût	au goût
Poivre	0,5 mL	⅛ c. à thé
Basilic	2 mL	½ c. à thé

MODE DE PRÉPARATION

- Mélanger tous les ingrédients.
  Mettre au réfrigérateur au moins 1 heure avant de servir en prenant soin de brasser à quelques reprises.

* Haricots de Lima, pois chiches ou autres légumineuses peuvent remplacer les haricots flageolets.

RENDEMENT : *4 portions*

TEMPS DE PRÉPARATION : *10 minutes*

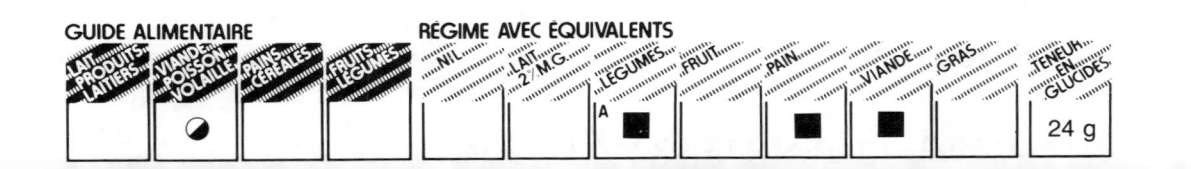

TARTE FLORENTINE

INGRÉDIENTS

	Métrique	Impérial
● **Épinards frais**	**1 paquet de 284 g**	**1 paquet de 10 onces**
● **Pâte à tarte de blé entier (voir p. 187)**	**1 abaisse semi-cuite**	**1 abaisse semi-cuite**
Fromage partiellement écrémé, râpé	**500 mL**	**2 tasses**
Ail haché	**2 gousses**	**2 gousses**
Oignon haché	**1 moyen**	**1 moyen**
Sel	**1 mL**	**¼ c. à thé**
Poivre	**1 pincée**	**1 pincée**
Thym	**1 pincée**	**1 pincée**
Muscade	**1 pincée**	**1 pincée**
Tomates tranchées	**2 moyennes**	**2 moyennes**

RENDEMENT : *6 portions*

MODE DE PRÉPARATION

● Laver les épinards.
   Couvrir et cuire à feu doux, sans ajouter d'eau, jusqu'à ce que les épinards soient attendris. Égoutter.

● Étendre 125 mL (½ tasse) de fromage râpé dans l'abaisse.
   Mélanger l'ail, l'oignon, les assaisonnements et les épinards ; déposer sur le fromage.
   Disposer les tranches de tomates sur le dessus.
   Recouvrir du reste de fromage râpé.
   Cuire au four à 180°C (350°F) pendant 20 minutes.
   Griller environ 5 minutes.

TEMPS DE PRÉPARATION : *25 minutes*
TEMPS DE CUISSON : *20 minutes*

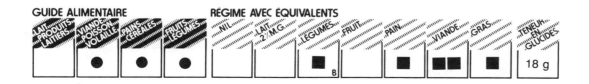

GUIDE ALIMENTAIRE — RÉGIME AVEC ÉQUIVALENTS

LÉGUMES

BOULES DE LAITUE BRAISÉE

INGRÉDIENTS	Métrique	Impérial
• **Laitue iceberg**	**1 pomme moyenne**	**1 pomme moyenne**
• **Bouillon de poulet dégraissé**	**125 mL**	**½ tasse**
Sel	**1 mL**	**¼ c. à thé**
Poivre	**au goût**	**au goût**
Laurier	**1 feuille**	**1 feuille**
Sarriette	**1 pincée**	**1 pincée**

RENDEMENT : *4 portions*

MODE DE PRÉPARATION

- Blanchir la laitue 8 à 10 minutes.
  Rincer à l'eau froide, égoutter et assécher délicatement.
  Diviser la laitue en quatre parties égales.
  Essorer le quart de la laitue dans un linge propre.
  Retirer délicatement la boule de laitue ainsi formée et déposer dans un plat de pyrex.
  Procéder de la même façon pour chaque quart de laitue.

- Ajouter le bouillon de poulet et assaisonner.
  Cuire au four à 150°C (300°F) 30 minutes.

TEMPS DE PRÉPARATION : *35 minutes*
TEMPS DE CUISSON : *40 minutes*

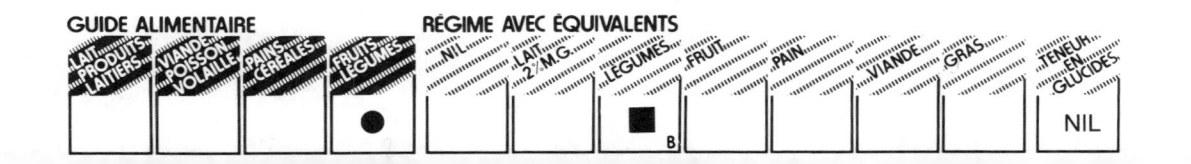

GUIDE ALIMENTAIRE — LAIT, PRODUITS LAITIERS / VIANDE, POISSON, VOLAILLE / PAINS, CÉRÉALES / FRUITS, LÉGUMES

RÉGIME AVEC ÉQUIVALENTS — NIL / LAIT 2% M.G. / LÉGUMES / FRUIT / PAIN / VIANDE / GRAS / TENEUR EN GLUCIDES — NIL

BROCOLI RELEVÉ

INGRÉDIENTS

	Métrique	Impérial
• Brocoli frais	750 mL	3 tasses
• Ail écrasé	1 gousse	1 gousse
Vinaigre de vin	25 mL	2 c. à table
Zestes d'orange	5 mL	1 c. à thé
Sel	au goût	au goût
Poivre	au goût	au goût

RENDEMENT : *4 portions*

MODE DE PRÉPARATION

• Cuire le brocoli 10 minutes.

• Mélanger l'ail, le vinaigre, les zestes, le sel et le poivre.
Cuire à feu moyen 2 minutes.
Ajouter au brocoli ; mélanger.

TEMPS DE PRÉPARATION : *10 minutes*
TEMPS DE CUISSON : *10 à 15 minutes*

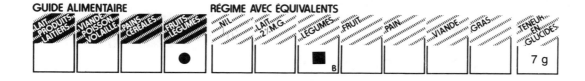

113

INGRÉDIENTS

	Métrique	Impérial
• **Huile**	**15 mL**	**1 c. à table**
Chou rouge tranché finement	**1 L**	**4 tasses**
Oignon haché	**1 moyen**	**1 moyen**
Sel	**1 mL**	**¼ c. à thé**
Poivre	**1 pincée**	**1 pincée**
Muscade	**1 pincée**	**1 pincée**
• **Cidre**	**250 mL**	**1 tasse**
• **Pomme pelée, tranchée**	**1 petite**	**1 petite**

RENDEMENT : *6 portions*

MODE DE PRÉPARATION

- Chauffer l'huile dans un poêlon.
  Y faire revenir le chou et l'oignon.
  Assaisonner.

- Ajouter le cidre.
  Couvrir et cuire à feu doux 30 minutes.

- Ajouter la pomme et cuire 15 minutes.

TEMPS DE PRÉPARATION : *20 minutes*
TEMPS DE CUISSON : *50 minutes*

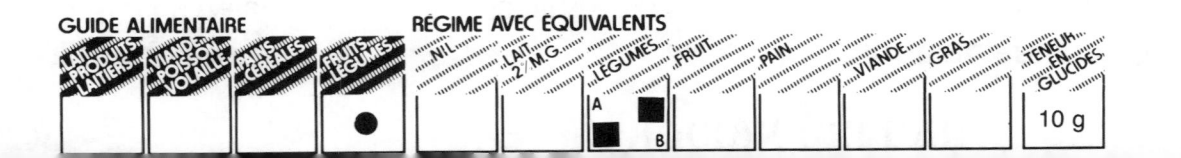

GUIDE ALIMENTAIRE — LAIT PRODUITS LAITIERS — VIANDE POISSON VOLAILLE — PAINS CÉRÉALES — FRUITS LÉGUMES

RÉGIME AVEC ÉQUIVALENTS — NIL — LAIT 2% M.G. — LÉGUMES A B — FRUIT — PAIN — VIANDE — GRAS — TENEUR EN GLUCIDES 10 g

CHOUX DE BRUXELLES AMANDINE

INGRÉDIENTS

	Métrique	Impérial
● **Choux de Bruxelles**	**500 mL**	**2 tasses**
● **Amandes émincées, grillées**	**25 mL**	**2 c. à table**
Sel	**0,5 mL**	**⅛ c. à thé**
Poivre	**1 pincée**	**1 pincée**

RENDEMENT : *4 portions*

MODE DE PRÉPARATION

● Cuire les choux de Bruxelles à feu moyen, à découvert, 15 minutes.
(Si congelés, cuire 10 minutes au lieu de 15).

● Ajouter les amandes, le sel et le poivre.

TEMPS DE PRÉPARATION : *10 minutes*
TEMPS DE CUISSON : *10 à 15 minutes*

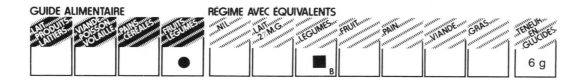

GUIDE ALIMENTAIRE — LAIT ET PRODUITS LAITIERS — VIANDE, POISSON, VOLAILLE — PAINS ET CÉRÉALES — FRUITS ET LÉGUMES

RÉGIME AVEC ÉQUIVALENTS — NIL — LAIT 2% M.G. — LÉGUMES B — FRUIT — PAIN — VIANDE — GRAS — TENEUR EN GLUCIDES 6 g

COURGE À LA MOELLE FLORENTINE

INGRÉDIENTS	Métrique	Impérial
● **Courge à la moelle**	**1 de 750 g**	**1 de 1½ lb**
● **Épinards équeutés, hachés**	**½ paquet de 284 g**	**½ paquet de 10 onces**
Sel	**2 mL**	**½ c. à thé**
Poivre	**2 pincées**	**2 pincées**
Muscade	**1 pincée**	**1 pincée**
Fromage au lait écrémé, râpé	**50 mL**	**¼ tasse**
Ail haché	**1 gousse**	**1 gousse**
● **Margarine ou beurre fondu(e)**	**10 mL**	**2 c. à thé**
Chapelure de pain	**25 mL**	**2 c. à table**

RENDEMENT : *4 portions*

MODE DE PRÉPARATION

● Couper la courge en quatre.
Retirer les filaments et les graines.
Faire des incisions dans la chair de la courge avec la pointe du couteau.
Cuire à la vapeur 15 minutes.

● Mélanger les épinards, les assaisonnements, le fromage râpé et l'ail.
Farcir les quartiers de courge de ce mélange.

● Mélanger le gras et la chapelure, saupoudrer sur les quartiers de courge.
Cuire au four à 190°C (375°F) 15 minutes.

TEMPS DE PRÉPARATION : *20 minutes*
TEMPS DE CUISSON : *30 minutes*

GUIDE ALIMENTAIRE

LAIT PRODUITS LAITIERS | VIANDE POISSON VOLAILLE | PAINS CÉRÉALES | FRUITS LÉGUMES

RÉGIME AVEC ÉQUIVALENTS

NIL | LAIT 2% M.G. | LÉGUMES | FRUIT | PAIN | VIANDE | GRAS | TENEUR EN GLUCIDES

10 g

COURGE MUSQUÉE EN PURÉE

INGRÉDIENTS

	Métrique	Impérial
• **Courge musquée (Butternut) pelée, coupée en cubes**	**500 mL**	**2 tasses**
Laitue déchiquetée	**1 L**	**4 tasses**
• **Sel**	**2 mL**	**½ c. à thé**
Poivre	**0,5 mL**	**⅛ c. à thé**

RENDEMENT : *4 portions*

MODE DE PRÉPARATION

• Couvrir et cuire les légumes à feu moyen 15 à 20 minutes.
Égoutter et réduire en purée.

• Assaisonner.

TEMPS DE PRÉPARATION : *10 minutes*
TEMPS DE CUISSON : *15 à 20 minutes*

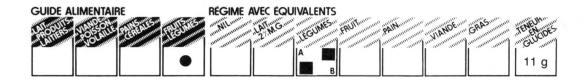

GUIDE ALIMENTAIRE — LAIT ET PRODUITS LAITIERS, VIANDE POISSON VOLAILLE, PAINS ET CÉRÉALES, FRUITS ET LÉGUMES

RÉGIME AVEC ÉQUIVALENTS — NIL, LAIT 2/M.G., LÉGUMES A B, FRUIT, PAIN, VIANDE, GRAS, TENEUR EN GLUCIDES 11 g

INGRÉDIENTS

	Métrique	Impérial
● **Courge spaghetti**	**1 de 750 g**	**1 de 1½ lb**
● **Margarine ou beurre fondu(e)**	**15 mL**	**1 c. à table**
Poudre d'ail	**5 mL**	**1 c. à thé**
ou		
Basilic	**5 mL**	**1 c. à thé**

RENDEMENT : *4 portions*

MODE DE PRÉPARATION

● Couper la courge en quatre.
Enlever les graines et les filaments.

● Badigeonner de gras et assaisonner de poudre d'ail ou de basilic.
Cuire au four à 160°C (325°F) 1½ heure.

Servir avec de la sauce à la viande et aux tomates ou aux lentilles et au bœuf.

TEMPS DE PRÉPARATION : *10 minutes*
TEMPS DE CUISSON : *1 heure 30 minutes*

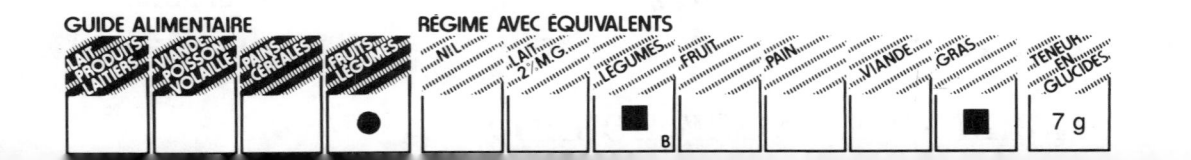

GRATIN DE PANAIS

INGRÉDIENTS

	Métrique	Impérial
● Jus de tomate	250 mL	1 tasse
Basilic	1 mL	¼ c. à thé
Poudre d'oignon	0,5 mL	⅛ c. à thé
Sel	0,5 mL	⅛ c. à thé
Poivre	1 pincée	1 pincée
● Fécule de maïs	5 mL	1 c. à thé
Eau froide	15 mL	1 c. à table
● Panais cuit, coupé en dés	250 mL	1 tasse
Chou-fleur cuit	250 mL	1 tasse
● Germe de blé	15 mL	1 c. à table

RENDEMENT : *4 portions*

MODE DE PRÉPARATION

● Assaisonner le jus de tomate et amener à ébullition.

● Ajouter la fécule délayée dans l'eau.
Brasser jusqu'à ce que le mélange épaississe.

● Déposer les légumes dans un plat allant au four et verser la sauce.

● Saupoudrer de germe de blé.
Cuire à 200°C (400°F) 10 minutes.

TEMPS DE PRÉPARATION : *25 minutes*
TEMPS DE CUISSON : *15 minutes*

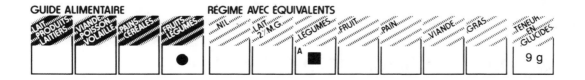

INGRÉDIENTS

	Métrique	Impérial
● **Huile**	**10 mL**	**2 c. à thé**
Ail haché	**2 gousses**	**2 gousses**
● **Haricots mange-tout frais ou congelés**	**750 mL**	**3 tasses**
● **Tomates coupées en huit**	**2 moyennes**	**2 moyennes**
Sel	**au goût**	**au goût**
Poivre	**au goût**	**au goût**

RENDEMENT : *4 portions*

MODE DE PRÉPARATION

● Chauffer l'huile dans un poêlon.
Y faire sauter l'ail à feu intense 1 minute.

● Ajouter les haricots.
Cuire à feu moyen 2 minutes.

● Ajouter les tomates et les assaisonnements.
Cuire à feu moyen 5 minutes.

TEMPS DE PRÉPARATION : *10 minutes*
TEMPS DE CUISSON : *10 minutes*

GUIDE ALIMENTAIRE — RÉGIME AVEC ÉQUIVALENTS

LAIT PRODUITS LAITIERS | VIANDE POISSON VOLAILLE | PAINS CÉRÉALES | FRUITS LÉGUMES | NIL | LAIT 2% M.G. | LÉGUMES | FRUIT | PAIN | VIANDE | GRAS | TENEUR EN GLUCIDES

B

7 g

III. LÉGUMES

1 Macédoine de chou-rave, *page 123.*
2 Courge musquée en purée, *page 117.*
3 Choux de Bruxelles amandine, *page 115.*

JARDINIÈRE D'ÉPINARDS

INGRÉDIENTS

	Métrique	Impérial
• Huile	5 mL	1 c. à thé
Champignons frais, tranchés	250 mL	1 tasse
Laitue émincée	250 mL	1 tasse
• Épinards frais, équeutés	1 paquet de 284 g	1 paquet de 10 onces
Sel	1 mL	¼ c. à thé
Poivre	au goût	au goût
Muscade	1 pincée	1 pincée
Cerfeuil	1 pincée	1 pincée

RENDEMENT : *4 portions*

MODE DE PRÉPARATION

● Chauffer l'huile dans un poêlon.
Ajouter les champignons et la laitue.
Cuire à feu doux 1 minute.
Retirer du feu.

● Ajouter les épinards et les assaisonnements.
Cuire à feu doux 2 minutes, en remuant constamment.

TEMPS DE PRÉPARATION : *5 minutes*
TEMPS DE CUISSON : *5 minutes*

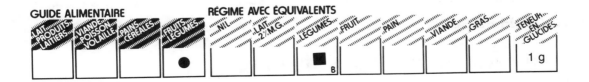

GUIDE ALIMENTAIRE — LAIT PRODUITS LAITIERS — VIANDE POISSON VOLAILLE — PAINS CÉRÉALES — FRUITS LÉGUMES

RÉGIME AVEC ÉQUIVALENTS — NIL — LAIT 2% M.G. — LÉGUMES — FRUIT — PAIN — VIANDE — GRAS — TENEUR EN GLUCIDES

1 g

INGRÉDIENTS

	Métrique	Impérial
• Pomme de terre pelée, coupée en cubes	1 petite	1 petite
Carotte coupée en rondelles	1 moyenne	1 moyenne
Panais coupé en petits cubes	1 moyen	1 moyen
Céleri coupé en biseaux	2 branches	2 branches
• Sel	au goût	au goût
Poivre	au goût	au goût
Poivre de Cayenne	1 pincée	1 pincée
Cerfeuil	1 mL	¼ c. à thé
• Sauce à salade (genre mayonnaise)	15 mL	1 c. à table
Lait 2% M.G.	10 mL	2 c. à thé

RENDEMENT : *4 portions*

MODE DE PRÉPARATION

- Couvrir et cuire les légumes, à feu moyen, jusqu'à ce qu'ils soient tendres mais encore croquants (environ 10 minutes).
  Égoutter ; refroidir.

- Assaisonner.

- Mélanger la sauce à salade et le lait.
  Ajouter aux légumes et bien mélanger.

TEMPS DE PRÉPARATION : *15 minutes*
TEMPS DE CUISSON : *10 minutes*

GUIDE ALIMENTAIRE

LAIT PRODUITS LAITIERS | VIANDE POISSON VOLAILLE | PAINS CÉRÉALES | FRUITS LÉGUMES ●

RÉGIME AVEC ÉQUIVALENTS

NIL | LAIT 2% M.G. | LÉGUMES A ■ | FRUIT | PAIN | VIANDE | GRAS ■ | TENEUR EN GLUCIDES 8 g

MACÉDOINE DE CHOU-RAVE

INGRÉDIENTS

	Métrique	Impérial
• **Chou-rave* coupé en cubes**	**500 mL**	**2 tasses**
Carottes coupées en cubes	**2 moyennes**	**2 moyennes**
• **Oignon émincé**	**1 moyen**	**1 moyen**
Sel	**2 mL**	**½ c. à thé**
Poivre	**1 mL**	**¼ c. à thé**
Cerfeuil	**1 mL**	**¼ c. à thé**
Bouillon de poulet dégraissé ou eau	**50 mL**	**¼ tasse**

MODE DE PRÉPARATION

● Couvrir et cuire les légumes à feu moyen, environ 20 minutes.

● Tapisser le fond d'un plat en pyrex de 2 L (2 pintes) avec les feuilles du chou-rave.
Y déposer le mélange de légumes cuits, l'oignon, les assaisonnements et le bouillon.
Couvrir et cuire au four à 180°C (350°F) 15 minutes.

Servir dans le plat de cuisson.

* Conserver les feuilles du chou-rave pour la présentation du plat.

RENDEMENT : *4 portions*

TEMPS DE PRÉPARATION : *20 minutes*
TEMPS DE CUISSON : *35 minutes*

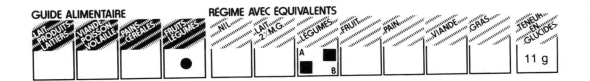

123

OIGNONS FARCIS AU POIVRON VERT

INGRÉDIENTS	Métrique	Impérial
● **Oignons**	**4 moyens**	**4 moyens**
● **Poivron vert haché**	**1 moyen**	**1 moyen**
Germe de blé	**25 mL**	**2 c. à table**
Sel de céleri	**2 mL**	**½ c. à thé**
● **Bouillon de poulet dégraissé**	**250 mL**	**1 tasse**

RENDEMENT : *4 portions*

MODE DE PRÉPARATION

- ● Évider l'oignon en laissant les 3 couches extérieures.

- ● Mélanger le poivron, le germe de blé et le sel de céleri.
  Farcir les oignons avec ce mélange.
  Déposer les oignons côte à côte dans une cocotte.

- ● Ajouter le bouillon.
  Couvrir et cuire au four à 200°C (400°F) 20 minutes, puis à 180°C (350°F) 25 minutes.
  Arroser les oignons et poursuivre la cuisson à découvert 30 minutes.

TEMPS DE PRÉPARATION : *15 minutes*
TEMPS DE CUISSON : *1 heure 15 minutes*

GUIDE ALIMENTAIRE

LAIT PRODUITS LAITIERS | VIANDE POISSON VOLAILLE | PAINS CÉRÉALES | FRUITS LÉGUMES

RÉGIME AVEC ÉQUIVALENTS

N'IL | LAIT 2% M.G. | LÉGUMES | FRUIT | PAIN | VIANDE | GRAS | TENEUR EN GLUCIDES

A

9 g

PETITS POIS À LA FRANÇAISE

INGRÉDIENTS

	Métrique	Impérial
● **Pois verts congelés**	**300 mL**	**1¼ tasse**
Céleri tranché mince	**175 mL**	**¾ tasse**
● **Oignons surs marinés**	**8**	**8**
Germe de blé	**15 mL**	**1 c. à table**
Basilic	**2 mL**	**½ c. à thé**
Sel	**1 mL**	**¼ c. à thé**

RENDEMENT : *4 portions*

MODE DE PRÉPARATION

● Couvrir et cuire les légumes à feu moyen 5 minutes.

● Ajouter aux légumes cuits, les oignons, le germe de blé, le basilic et le sel ; mélanger.
Cuire à feu doux 2 minutes ; servir immédiatement.

TEMPS DE PRÉPARATION : *5 minutes*
TEMPS DE CUISSON : *10 minutes*

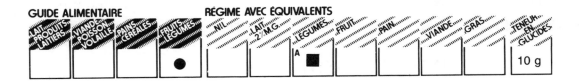

GUIDE ALIMENTAIRE

LAIT PRODUITS LAITIERS — VIANDE POISSON VOLAILLE — PAINS CÉRÉALES — FRUITS LÉGUMES ●

RÉGIME AVEC ÉQUIVALENTS

NIL — LAIT 2% M.G. — LÉGUMES A ■ — FRUIT — PAIN — VIANDE — GRAS — TENEUR EN GLUCIDES 10 g

INGRÉDIENTS

	Métrique	Impérial
• **Oeufs battus**	2	2
Sel	au goût	au goût
Poivre	au goût	au goût
• **Tomates tranchées**	4 moyennes	4 moyennes
Biscuits soda émiettés	12	12

RENDEMENT : *4 portions*

MODE DE PRÉPARATION

• Mélanger les œufs et les assaisonnements.

• Tremper les tomates dans ce mélange, puis dans les biscuits soda.
Cuire à feu moyen environ 2 minutes de chaque côté, dans un poêlon à revêtement anti-adhésif.

TEMPS DE PRÉPARATION : *10 minutes*
TEMPS DE CUISSON : *5 minutes*

GUIDE ALIMENTAIRE | RÉGIME AVEC ÉQUIVALENTS

CRÊPES AUX POMMES DE TERRE

INGRÉDIENTS

	Métrique	Impérial
• Pommes de terre pelées, râpées grossièrement	250 mL	1 tasse
Oignon haché finement	5 mL	1 c. à thé
Farine tout usage	15 mL	1 c. à table
Sel	1 mL	¼ c. à thé
Poivre	1 pincée	1 pincée
Poudre à pâte	1 mL	¼ c. à thé
Oeuf battu	1	1
• Margarine ou beurre	15 mL	1 c. à table
Persil frais haché	10 mL	2 c. à thé

MODE DE PRÉPARATION

- Mélanger les 7 premiers ingrédients.

- Faire fondre le gras dans un poêlon.
  Pour une crêpe :
  — déposer 50 mL (¼ tasse) du mélange dans le poêlon.
  — aplatir.
  — cuire 1 à 2 minutes de chaque côté ou jusqu'à l'obtention d'une couleur dorée.
  Garnir de persil.

RENDEMENT : *4 portions*

TEMPS DE PRÉPARATION : *20 minutes*
TEMPS DE CUISSON : *5 minutes par crêpe*

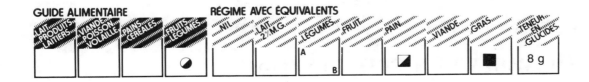

GUIDE ALIMENTAIRE

LAIT PRODUITS LAITIERS	VIANDE POISSON VOLAILLE	PAINS CÉRÉALES	FRUITS LÉGUMES
			◐

RÉGIME AVEC ÉQUIVALENTS

NIL	LAIT 2% M.G.	LÉGUMES	FRUIT	PAIN	VIANDE	GRAS	TENEUR EN GLUCIDES
		A B		◪		■	8 g

POMMES DE TERRE À LA GITANE

INGRÉDIENTS

	Métrique	Impérial
● **Huile**	**25 mL**	**2 c. à table**
Pommes de terre pelées, tranchées	**3 petites**	**3 petites**
● **Tomates fraîches**	**2 moyennes**	**2 moyennes**
● **Oignon coupé en rondelles**	**1 moyen**	**1 moyen**
Sel	**1 mL**	**¼ c. à thé**
Poivre	**0,5 mL**	**⅛ c. à thé**
● **Pain de blé entier émietté**	**½ tranche**	**½ tranche**
Sel de céleri	**1 mL**	**¼ c. à thé**

RENDEMENT : *4 portions*

MODE DE PRÉPARATION

● Chauffer l'huile dans un poêlon.
Sauter les pommes de terre à feu moyen 3 minutes.

● Blanchir les tomates 30 secondes ; plonger dans de l'eau froide.
Peler et trancher.

● Mélanger les tomates, l'oignon et les assaisonnements.
Faire alterner les rangs de pommes de terre et du mélange de tomates dans un plat en pyrex de 2 L (2 pintes).

● Saupoudrer de miettes de pain et de sel de céleri.
Couvrir et cuire au four à 200°C (400°F) 1 heure 10 minutes.
Découvrir et poursuivre la cuisson 5 minutes.

TEMPS DE PRÉPARATION : *15 minutes*
TEMPS DE CUISSON : *1 heure 15 minutes*

GUIDE ALIMENTAIRE

LAIT PRODUITS LAITIERS | VIANDE POISSON VOLAILLE | PAINS CÉRÉALES | FRUITS LÉGUMES ●

RÉGIME AVEC ÉQUIVALENTS

NIL | LAIT 2% M.G. | LÉGUMES A / B | FRUIT | PAIN ■ | VIANDE | GRAS ■ | TENEUR EN GLUCIDES 14 g

POMMES DE TERRE EN ÉVENTAIL

INGRÉDIENTS

	Métrique	Impérial
• Pommes de terre pelées, coupées en deux	4 petites	4 petites
• Sel	1 mL	¼ c. à thé
Poivre	0,5 mL	⅛ c. à thé
Persil	au goût	au goût
Paprika	au goût	au goût
Bouillon de poulet dégraissé	250 mL	1 tasse

RENDEMENT : *4 portions*

MODE DE PRÉPARATION

• Pommes de terre en éventail : faire, dans les moitiés de pomme de terre, de longues incisions profondes et rapprochées, dans le sens de la largeur.
Placer dans un plat allant au four.

• Assaisonner de sel et de poivre.
Saupoudrer de persil et de paprika.
Ajouter le bouillon de poulet.
Couvrir et cuire à 180°C (350°F) 60 minutes.

TEMPS DE PRÉPARATION : *20 minutes*
TEMPS DE CUISSON : *1 heure*

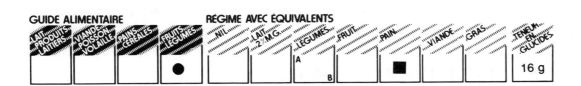

GUIDE ALIMENTAIRE — RÉGIME AVEC ÉQUIVALENTS

LAIT PRODUITS LAITIERS / VIANDE POISSON VOLAILLE / PAINS CÉRÉALES / FRUITS LÉGUMES ● / NIL / LAIT 2% M.G. / LÉGUMES A B / FRUIT / PAIN ■ / VIANDE / GRAS / TENEUR EN GLUCIDES 16 g

POMMES DE TERRE FARCIES

INGRÉDIENTS

	Métrique	Impérial
● **Pommes de terre**	**4 petites**	**4 petites**
● **Lait 2% M.G.**	**15 mL**	**1 c. à table**
Margarine ou beurre	**5 mL**	**1 c. à thé**
Sel d'oignon	**1 mL**	**¼ c. à thé**
Poivre	**0,5 mL**	**⅛ c. à thé**
● **Fromage partiellement écrémé, râpé**	**25 mL**	**2 c. à table**
Paprika	**au goût**	**au goût**
Persil	**au goût**	**au goût**

RENDEMENT : *4 portions*

MODE DE PRÉPARATION

● Cuire les pommes de terre au four à 200°C (400°F) 60 minutes.
Couper une mince tranche sur le dessus.
Évider les pommes de terre en prenant soin de ne pas briser la pelure.
Mettre en purée la chair retirée.

● Ajouter le lait, le gras, le sel d'oignon et le poivre à la purée de pomme de terre.
Bien mélanger.
Farcir les pommes de terre.

● Saupoudrer de fromage râpé, de paprika et de persil.
Faire gratiner.

TEMPS DE PRÉPARATION : *15 minutes*
TEMPS DE CUISSON : *1 heure*

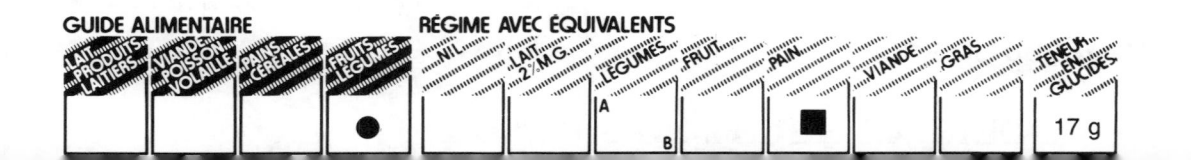

GUIDE ALIMENTAIRE
LAIT PRODUITS LAITIERS / VIANDE POISSON VOLAILLE / PAINS CÉRÉALES / FRUITS LÉGUMES

RÉGIME AVEC ÉQUIVALENTS
NIL / LAIT 2% M.G. / LÉGUMES / FRUIT / PAIN / VIANDE / GRAS / TENEUR EN GLUCIDES

17 g

POMMES DE TERRE PARISIENNES EN SAUCE

INGRÉDIENTS

	Métrique	Impérial
• Pommes de terre parisiennes (voir p. 16)	500 mL	2 tasses

Sauce

	Métrique	Impérial
• Lait 2% M.G.	450 mL	1¾ tasse
Lait 2% M.G.	50 mL	¼ tasse
Fécule de maïs	25 mL	2 c. à table
Basilic	1 mL	¼ c. à thé
Sel	2 mL	½ c. à thé
Poivre	0,5 mL	⅛ c. à thé
Thym (facultatif)	1 mL	¼ c. à thé

RENDEMENT : *4 portions*

MODE DE PRÉPARATION

• Couvrir et cuire les pommes de terre à feu moyen, 10 minutes.

Sauce

• Chauffer 450 mL (1¾ tasse) de lait à feu doux jusqu'au point d'ébullition. Délayer la fécule dans 50 mL (¼ tasse) de lait froid ; ajouter au lait chaud.
Assaisonner.
Cuire à feu doux, 5 minutes en brassant, jusqu'à épaississement.
Napper de sauce les pommes de terre cuites.

TEMPS DE PRÉPARATION : *25 minutes*
TEMPS DE CUISSON : *20 minutes*

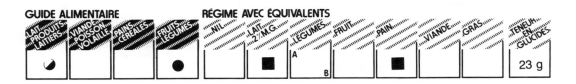

GUIDE ALIMENTAIRE — LAIT PRODUITS LAITIERS, VIANDE POISSON VOLAILLE, PAINS CÉRÉALES, FRUITS LÉGUMES

RÉGIME AVEC ÉQUIVALENTS — NIL, LAIT 2% M.G., LÉGUMES A, FRUIT B, PAIN, VIANDE, GRAS, TENEUR EN GLUCIDES 23 g

INGRÉDIENTS

	Métrique	Impérial
• **Huile**	**10 mL**	**2 c. à thé**
Carotte coupée en dés	**1 moyenne**	**1 moyenne**
Céleri coupé en dés	**1 branche**	**1 branche**
Oignon haché	**1 petit**	**1 petit**
Riz brun, cru	**125 mL**	**½ tasse**
• **Bouillon de poulet dégraissé**	**300 mL**	**1¼ tasse**
Laurier	**1 feuille**	**1 feuille**
Sauge	**1 pincée**	**1 pincée**
Thym	**1 pincée**	**1 pincée**
Sel	**1 mL**	**¼ c. à thé**
Poivre	**1 pincée**	**1 pincée**

Note : Aussi délicieux servi froid avec du vinaigre de vin.

RENDEMENT : *4 portions*

MODE DE PRÉPARATION

- Chauffer l'huile dans une casserole.
  Faire sauter la carotte, le céleri et l'oignon.
  Ajouter le riz et cuire 1 minute.

- Ajouter le bouillon de poulet et les assaisonnements.
  Amener à ébullition et couvrir.
  Laisser mijoter jusqu'à ce que le bouillon soit absorbé.

TEMPS DE PRÉPARATION : *20 minutes*
TEMPS DE CUISSON : *30 à 40 minutes*

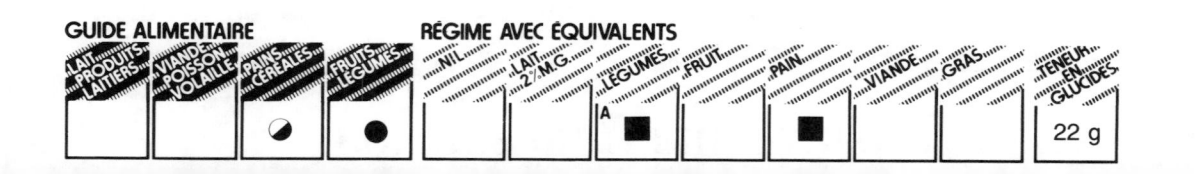

GUIDE ALIMENTAIRE · LAIT PRODUITS LAITIERS · VIANDE POISSON VOLAILLE · PAINS CÉRÉALES · FRUITS LÉGUMES

RÉGIME AVEC ÉQUIVALENTS · NIL · LAIT 2% M.G. · LÉGUMES · FRUIT · PAIN · VIANDE · GRAS · TENEUR EN GLUCIDES 22 g

TOMATES FARCIES AUX POMMES DE TERRE

INGRÉDIENTS

	Métrique	Impérial
• **Tomates fraîches**	**2 moyennes**	**2 moyennes**
• **Pommes de terre pelées**	**2 petites**	**2 petites**
• **Oignon haché**	**1 petit**	**1 petit**
Persil séché	**2 mL**	**½ c. à thé**
ou frais, haché	**15 mL**	**1 c. à table**
Estragon	**0,5 mL**	**⅛ c. à thé**

RENDEMENT : *4 portions*

MODE DE PRÉPARATION

- Couper horizontalement les tomates en deux parties égales.
  Évider.
  Cuire au four à 190°C (375°F) 10 minutes.

- Cuire les pommes de terre et réduire en purée.

- Ajouter l'oignon et les fines herbes aux pommes de terre.
  Farcir les tomates chaudes de ce mélange.

TEMPS DE PRÉPARATION : *20 minutes*
TEMPS DE CUISSON : *35 à 40 minutes*

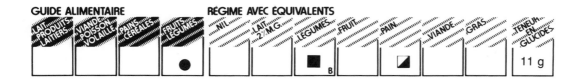

GUIDE ALIMENTAIRE

LAIT PRODUITS LAITIERS | VIANDE POISSON VOLAILLE | PAINS CÉRÉALES | FRUITS LÉGUMES

RÉGIME AVEC ÉQUIVALENTS

NIL | LAIT 2% MG. | LÉGUMES | FRUIT | PAIN | VIANDE | GRAS | TENEUR EN GLUCIDES

11 g

133

DESSERTS

BANANES AMANDINE

INGRÉDIENTS

	Métrique	Impérial
• **Zestes de citron**	5 mL	1 c. à thé
Zestes d'orange	10 mL	2 c. à thé
Jus de citron	20 mL	4 c. à thé
Jus d'orange non sucré	50 mL	3 c. à table
Bananes mûres	2 moyennes	2 moyennes
Amandes émincées	25 mL	2 c. à table
• **Blanc d'œuf battu en neige ferme**	1	1
• **Cassonade**	10 mL	2 c. à thé

RENDEMENT : *4 portions*

MODE DE PRÉPARATION

- Mélanger les zestes, les jus, les bananes et 15 mL (1 c. à table) d'amandes.
Réduire en purée au mélangeur.

- Incorporer le blanc d'œuf au mélange de bananes, en pliant.
Verser dans des coupes à dessert allant au four.
Mettre au réfrigérateur au moins 1 heure.

- Garnir avec le reste des amandes et la cassonade.
Griller 1 à 2 minutes.
Mettre au réfrigérateur au moins 30 minutes avant de servir.

TEMPS DE PRÉPARATION : *10 minutes*

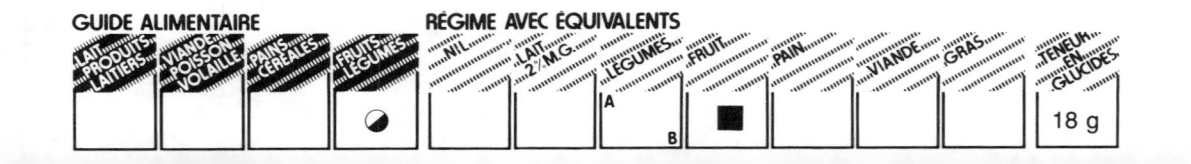

GUIDE ALIMENTAIRE — PRODUITS LAITIERS, VIANDE POISSON VOLAILLE, PAINS CÉRÉALES, FRUITS LÉGUMES

RÉGIME AVEC ÉQUIVALENTS — NIL, LAIT 2/M.G., LÉGUMES A, FRUIT B, PAIN, VIANDE, GRAS, TENEUR EN GLUCIDES 18 g

BLANC-MANGER

INGRÉDIENTS

	Métrique	Impérial
● **Lait 2% M.G.**	**500 mL**	**2 tasses**
Cassonade	**20 mL**	**4 c. à thé**
● **Fécule de maïs**	**50 mL**	**3 c. à table**
Eau froide	**125 mL**	**½ tasse**
Vanille	**5 mL**	**1 c. à thé**

*Variante : aux fruits séchés

Dattes ou pruneaux séchés hachés	**4 moyens**	**4 moyens**
ou		
Figues séchées hachées	**2 moyennes**	**2 moyennes**

RENDEMENT : *4 portions*

MODE DE PRÉPARATION

● Mélanger le lait et la cassonade dans la partie supérieure d'un bain-marie.
Faire chauffer jusqu'à ce que le lait frémisse.

● Ajouter la fécule délayée dans l'eau.
Cuire 15 minutes en brassant de temps à autre.
Retirer du feu et ajouter la vanille.
Verser dans des coupes à dessert.
Servir froid.

● Ajouter les fruits au lait.
Suivre le mode de préparation du blanc-manger, sans ajouter de vanille.

TEMPS DE PRÉPARATION : *20 minutes*
TEMPS DE CUISSON : *25 minutes*

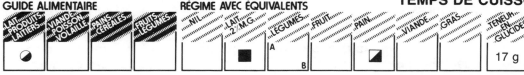

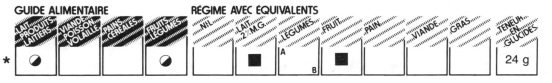

CARRÉS À L'ANANAS ET AUX DATTES

INGRÉDIENTS	Métrique	Impérial
Croûte		
• **Farine de blé entier**	**175 mL**	**¾ tasse**
Poudre à pâte	**2 mL**	**½ c. à thé**
Cassonade	**15 mL**	**1 c. à table**
• **Oeuf battu**	**1**	**1**
Vanille	**2 mL**	**½ c. à thé**
Margarine ou beurre	**50 mL**	**¼ tasse**
Garniture		
• **Ananas non sucré** **coupé en cubes**	**250 mL**	**1 tasse**
Dattes séchées	**20**	**20**
Eau	**125 mL**	**½ tasse**

MODE DE PRÉPARATION

Croûte

- Mélanger les ingrédients secs.

- Mélanger l'œuf, la vanille et le gras.
  Ajouter aux ingrédients secs.
  Mélanger jusqu'à la formation d'une pâte.
  Presser la pâte dans un moule graissé de 20 cm
  × 20 cm (8 po. × 8 po.).
  Cuire au four à 160°C (325°F) 15 minutes.

Garniture

- Mélanger l'ananas, les dattes et l'eau dans une
  casserole.
  Couvrir et cuire à feu doux jusqu'à ce que l'eau
  soit absorbée.
  Déposer sur la croûte cuite.
  Laisser refroidir avant de servir.

RENDEMENT : *12 portions*

TEMPS DE PRÉPARATION : *20 minutes*
TEMPS DE CUISSON : *15 minutes*

GUIDE ALIMENTAIRE

LAIT PRODUITS LAITIERS	VIANDE POISSON VOLAILLE	PAINS CÉRÉALES	FRUITS LÉGUMES
		◖	●

RÉGIME AVEC ÉQUIVALENTS

NIL	LAIT 2% M.G.	LÉGUMES	FRUIT	PAIN	VIANDE	GRAS	TENEUR EN GLUCIDES
		A	■			■	18 g
		B					

COMPOTE DE FRUITS CHAUDE

INGRÉDIENTS

	Métrique	Impérial
• **Jus d'orange non sucré**	**50 mL**	**¼ tasse**
Zestes d'orange	**2 mL**	**½ c. à thé**
Muscade	**1 mL**	**¼ c. à thé**
Pruneaux séchés coupés en quatre	**4 moyens**	**4 moyens**
• **Pêches non sucrées, pelées, tranchées**	**250 mL**	**1 tasse**
Pomme pelée, tranchée	**1 petite**	**1 petite**

RENDEMENT : *4 portions*

MODE DE PRÉPARATION

• Mélanger le jus d'orange, les zestes, la muscade et les pruneaux dans une casserole.
Amener à ébullition à découvert.
Couvrir et cuire à feu moyen 10 minutes.

• Déposer les pêches, la pomme et le mélange de pruneaux dans un plat en pyrex de 1 L (1 pinte).
Cuire au four à 180°C (350°F) 20 minutes.

TEMPS DE PRÉPARATION : *10 minutes*
TEMPS DE CUISSON : *30 minutes*

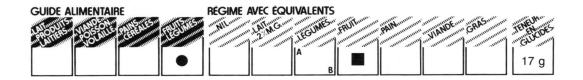

GUIDE ALIMENTAIRE — PRODUITS LAITIERS, VIANDE POISSON VOLAILLE, PAINS CÉRÉALES, FRUITS LÉGUMES

RÉGIME AVEC ÉQUIVALENTS — NIL, LAIT 2% M.G., LÉGUMES A B, FRUIT, PAIN, VIANDE, GRAS, TENEUR EN GLUCIDES 17 g

COUPE DE FRAISES ET DE RAISINS VERTS

INGRÉDIENTS

	Métrique	Impérial
• **Fromage cottage**	**175 mL**	**¾ tasse**
Vanille	**2 mL**	**½ c. à thé**
Raisins verts coupés en deux	**30**	**30**
Fraises non sucrées coupées en deux	**500 mL**	**2 tasses**
• **Noix de coco non sucrée râpée, grillée**	**50 mL**	**¼ tasse**

RENDEMENT : *4 portions*

MODE DE PRÉPARATION

• Passer le fromage cottage et la vanille au mélangeur jusqu'à consistance crémeuse.
Mettre de côté 12 moitiés de raisins.
Dans une coupe à parfait, faire alterner les rangs de fruits (fraises et raisins) et de fromage ; terminer par le fromage.

• Garnir de noix de coco et décorer chaque coupe de 3 moitiés de raisins.
Mettre au réfrigérateur au moins 1 heure avant de servir.

TEMPS DE PRÉPARATION : *15 minutes*

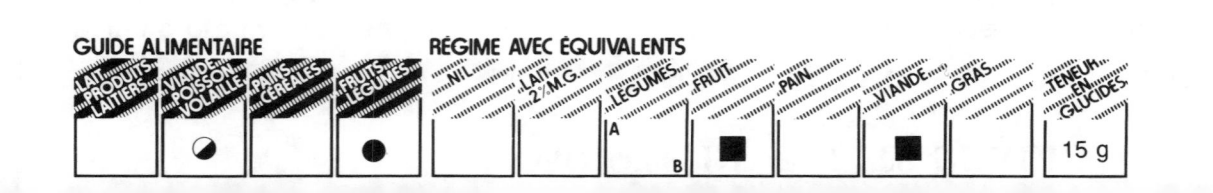

GUIDE ALIMENTAIRE — RÉGIME AVEC ÉQUIVALENTS

LAIT PRODUITS LAITIERS | VIANDE POISSON VOLAILLE | PAINS CÉRÉALES | FRUITS LÉGUMES | N'IL | LAIT 2% M.G. | LÉGUMES | FRUIT | PAIN | VIANDE | GRAS | TENEUR EN GLUCIDES 15 g

CRÈME DE CAFÉ

INGRÉDIENTS

	Métrique	Impérial
● **Gélatine neutre**	1 sachet	1 sachet
Lait 2% M.G.	500 mL	2 tasses
● **Café instantané**	10 mL	2 c. à thé
Jaunes d'œufs battus	3	3
Cassonade	15 mL	1 c. à table
Essence de rhum	1 mL	¼ c. à thé
● **Noix de Grenoble**	4 moitiés	4 moitiés

RENDEMENT : *5 portions*

MODE DE PRÉPARATION

● Faire gonfler la gélatine dans le lait.

● Ajouter tous les autres ingrédients.
Chauffer à feu doux dans la partie supérieure d'un bain-marie jusqu'à consistance crémeuse. Verser dans des coupes à dessert. Réfrigérer.

● Décorer d'une demi-noix de Grenoble.

TEMPS DE PRÉPARATION : *10 minutes*
TEMPS DE CUISSON : *15 minutes*

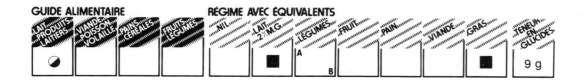

GUIDE ALIMENTAIRE | RÉGIME AVEC ÉQUIVALENTS

LAIT PRODUITS LAITIERS | VIANDE POISSON VOLAILLE | PAINS CÉRÉALES | FRUITS LÉGUMES | NIL | LAIT 2% M.G. | LÉGUMES | FRUIT | PAIN | VIANDE | GRAS | TENEUR EN GLUCIDES 9 g

CRÈME OPÉRA

INGRÉDIENTS

	Métrique	Impérial
• **Gélatine neutre**	**5 mL**	**1 c. à thé**
Jus d'orange non sucré	**50 mL**	**¼ tasse**
• **Fraises non sucrées**	**250 mL**	**1 tasse**
• **Crème 35% M.G.**	**50 mL**	**¼ tasse**
Sucre	**15 mL**	**1 c. à table**
Vanille	**1 mL**	**¼ c. à thé**
Salade de fruits non sucrée, égouttée	**250 mL**	**1 tasse**
Noix de Grenoble hachées	**15 mL**	**1 c. à table**

MODE DE PRÉPARATION

- Faire gonfler la gélatine dans le jus d'orange.

- Réduire les fraises en purée.
  Mélanger la gélatine et les fraises.
  Chauffer à feu doux en brassant pour dissoudre.
  Mettre au réfrigérateur jusqu'à consistance de blanc d'œuf.
  Fouetter le mélange jusqu'à l'obtention d'une mousse.

- Mélanger la crème, le sucre et la vanille.
  Fouetter.
  Incorporer la crème fouettée, la salade de fruits et la moitié des noix au mélange de fraises.
  Verser dans des coupes à dessert et garnir du reste des noix.
  Mettre au réfrigérateur jusqu'à consistance semi-ferme.

RENDEMENT : *4 portions*

TEMPS DE PRÉPARATION : *30 minutes*

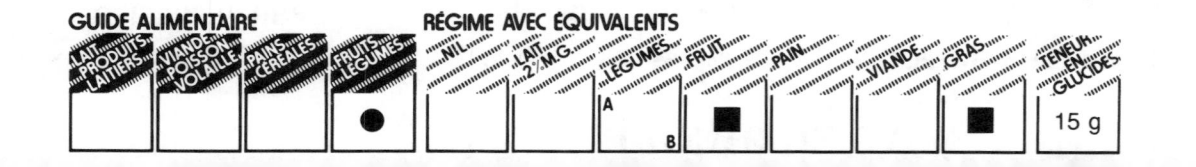

GUIDE ALIMENTAIRE				RÉGIME AVEC ÉQUIVALENTS								
LAIT ET PRODUITS LAITIERS	VIANDE ET POISSON VOLAILLE	PAINS ET CÉRÉALES	FRUITS ET LÉGUMES	NIL	LAIT 2% M.G.	LÉGUMES	FRUIT	PAIN	VIANDE	GRAS		TENEUR EN GLUCIDES
			●			A ___ B	■			■		15 g

CROUSTILLANT AUX POIRES

INGRÉDIENTS

	Métrique	Impérial
● **Poires non sucrées, pelées**	**8 moitiés**	**8 moitiés**
● **Zestes d'orange**	**5 mL**	**1 c. à thé**
Jus d'orange non sucré	**50 mL**	**¼ tasse**
● **Margarine ou beurre**	**25 mL**	**2 c. à table**
Biscuits au gingembre émiettés	**8**	**8**

RENDEMENT : *8 portions*

MODE DE PRÉPARATION

● Placer les poires dans un plat graissé allant au four.

● Y saupoudrer les zestes et ajouter le jus d'orange.

● Incorporer le gras aux biscuits émiettés.
Mélanger jusqu'à l'obtention d'une texture grossière.
Saupoudrer ce mélange sur les poires et cuire au four à 180°C (350°F) 25 minutes.

TEMPS DE PRÉPARATION : *20 minutes*
TEMPS DE CUISSON : *25 minutes*

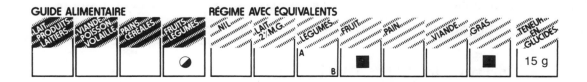

DÉLICES AUX POMMES

INGRÉDIENTS

	Métrique	Impérial
• **Pommes pelées, tranchées**	**4 moyennes**	**4 moyennes**
Sucre	**5 mL**	**1 c. à thé**
Cannelle	**1 mL**	**¼ c. à thé**
• **Margarine ou beurre**	**5 mL**	**1 c. à thé**
Pain de blé entier émietté	**1 tranche**	**1 tranche**
Vanille	**1 mL**	**¼ c. à thé**

RENDEMENT : *4 portions*

MODE DE PRÉPARATION

• Mélanger les pommes, le sucre et la cannelle. Couvrir et cuire à feu moyen de 10 à 15 minutes ou jusqu'à ce que les pommes soient cuites, mais encore croquantes.

• Faire fondre le gras dans un poêlon et ajouter les miettes de pain.
Cuire à feu intense jusqu'à ce que le pain soit croustillant.
Ajouter la vanille et mélanger.
Déposer les pommes dans un plat de service.
Garnir des miettes de pain grillées.

Servir chaud ou froid.

TEMPS DE PRÉPARATION : *15 minutes*
TEMPS DE CUISSON : *10 à 15 minutes*

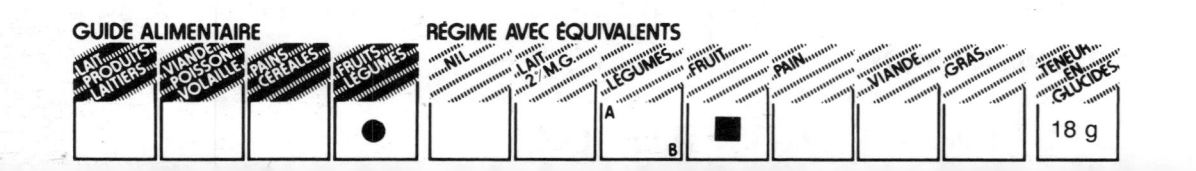

GUIDE ALIMENTAIRE

LAIT ET PRODUITS LAITIERS | VIANDE, POISSON ET VOLAILLE | PAINS ET CÉRÉALES | FRUITS ET LÉGUMES

RÉGIME AVEC ÉQUIVALENTS

NIL | LAIT 2 % M.G. | LÉGUMES | FRUIT | PAIN | VIANDE | GRAS | TENEUR EN GLUCIDES

A | B | 18 g

DOUCEURS AUX POMMES

INGRÉDIENTS

	Métrique	Impérial
• Pommes pelées, tranchées	4 moyennes	4 moyennes
Jus de pomme non sucré	50 mL	¼ tasse
Cassonade	5 mL	1 c. à thé
• Fécule de maïs	5 mL	1 c. à thé
Eau froide	10 mL	2 c. à thé
Cannelle (facultatif)	1 pincée	1 pincée
• Sauce mystère (voir p 213)	200 mL	¾ tasse

RENDEMENT : *4 portions*

MODE DE PRÉPARATION

- Mélanger les pommes, le jus et la cassonade. Couvrir et cuire à feu moyen 8 minutes ou jusqu'à ce que les pommes soient cuites, mais encore croquantes.

- Y ajouter la fécule délayée dans l'eau. Cuire jusqu'à épaississement (1 minute). Ajouter la cannelle. Réfrigérer. Déposer dans 4 coupes à dessert.

- Napper de sauce mystère.

TEMPS DE PRÉPARATION : *25 minutes*
TEMPS DE CUISSON : *10 minutes*

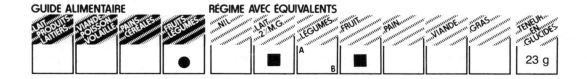

GUIDE ALIMENTAIRE — LAIT ET PRODUITS LAITIERS, VIANDE POISSON VOLAILLE, PAINS ET CÉRÉALES, FRUITS ET LÉGUMES

RÉGIME AVEC ÉQUIVALENTS — NIL, LAIT 2% M.G., LÉGUMES, FRUIT, PAIN, VIANDE, GRAS, TENEUR EN GLUCIDES

| | | | | 23 g |

FANTAISIE AU BEURRE D'ARACHIDES

INGRÉDIENTS	Métrique	Impérial
● **Gélatine neutre**	1 sachet	1 sachet
Eau froide	50 mL	¼ tasse
● **Crème glacée à la vanille**	250 mL	1 tasse
Beurre d'arachides	15 mL	1 c. à table
● **Yogourt nature**	250 mL	1 tasse
Bananes mûres, écrasées	2 petites	2 petites

MODE DE PRÉPARATION

● Faire gonfler la gélatine dans l'eau.

● Chauffer la crème glacée et le beurre d'arachides à feu doux.
Ajouter la gélatine ; brasser pour dissoudre.
Retirer du feu ; laisser tiédir quelques minutes.

● Ajouter le yogourt et les bananes.
Passer au mélangeur jusqu'à l'obtention d'une texture homogène.

RENDEMENT : *4 portions*

TEMPS DE PRÉPARATION : *15 minutes*

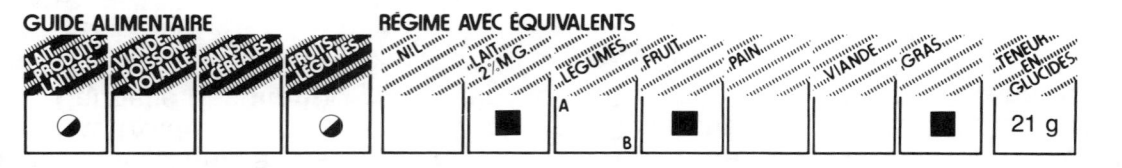

GUIDE ALIMENTAIRE — RÉGIME AVEC ÉQUIVALENTS

21 g

FRIANDISES GIVRÉES

Congeler les fruits suivants et savourer tels quels, pour découvrir un nouveau délice !

Bananes pelées, tranchées
Raisins verts ou rouges
Cerises
Bleuets
Consulter la liste d'équivalents des fruits pour connaître la quantité correspondant à une portion (p.255).

GELÉE DE POIRES ET DE LIME

INGRÉDIENTS

	Métrique	Impérial
• Jus de poire non sucré*	125 mL	½ tasse
Jus de lime	50 mL	¼ tasse
Gélatine neutre	1 sachet	1 sachet
• Poudre de lait écrémé	50 mL	3 c. à table
Jus de pomme non sucré	50 mL	¼ tasse
• Poires non sucrées en conserve, égouttées	1 boîte de 540 mL	1 boîte de 19 onces

MODE DE PRÉPARATION

- Mélanger les jus de poire et de lime. Faire gonfler la gélatine dans le mélange de jus. Chauffer à feu doux, en brassant pour dissoudre. Retirer du feu et laisser refroidir 10 minutes.

- Dissoudre la poudre de lait écrémé dans le jus de pomme, ajouter au mélange de gélatine et verser dans un moule de 1 L (1 pinte) rincé à l'eau froide. Mettre au réfrigérateur jusqu'à consistance de blanc d'œuf (10 minutes environ).

- Conserver 2 moitiés de poire ; les trancher. Hacher finement les autres moitiés et ajouter à la gélatine. Bien mélanger et mettre au réfrigérateur au moins 1 heure. Démouler et décorer de tranches de poire.

* Liquide des poires en conserve non sucrées

RENDEMENT : *5 portions*

TEMPS DE PRÉPARATION : *20 minutes*

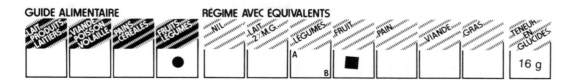

GUIDE ALIMENTAIRE — RÉGIME AVEC ÉQUIVALENTS

16 g

GLACE AUX BANANES

INGRÉDIENTS

	Métrique	Impérial
● **Banane mûre, en morceaux**	**1 grosse**	**1 grosse**
Lait évaporé 2% M.G.	75 mL	⅓ tasse
Jus de citron	45 mL	3 c. à table
Jus d'orange non sucré, congelé, non dilué	15 mL	1 c. à table
Sucre	15 mL	1 c. à table
Jaune d'œuf	1	1
● **Blanc d'œuf**	**1**	**1**

MODE DE PRÉPARATION

● Mettre les 6 premiers ingrédients dans le récipient du mélangeur.
Mélanger jusqu'à l'obtention d'une texture homogène.
Verser dans un récipient.
Couvrir et faire congeler jusqu'à la formation complète de cristaux de glace ; brasser vigoureusement aux 30 minutes (cette étape peut prendre 2 heures et plus).

● Battre le blanc d'œuf en neige ferme.
Fouetter le mélange de banane au batteur électrique à vitesse moyenne 1 minute, puis à haute vitesse 4 à 5 minutes.
Le mélange doit devenir crémeux, mais non liquide.
Incorporer le blanc d'œuf en pliant.
Verser dans un contenant hermétique ; congeler.

Note : sortir du congélateur environ 15 minutes avant de servir.

RENDEMENT : *4 portions*

TEMPS DE PRÉPARATION : *25 minutes*

GUIDE ALIMENTAIRE

LAIT PRODUITS LAITIERS	VIANDE POISSON VOLAILLE	PAINS CÉRÉALES	FRUITS LÉGUMES
			◐

RÉGIME AVEC ÉQUIVALENTS

NIL	LAIT 2% M.G.	LÉGUMES	FRUIT	PAIN	VIANDE	GRAS	TENEUR EN GLUCIDES
		A B	■				15 g

GLACE AUX BLEUETS

INGRÉDIENTS	Métrique	Impérial
● Bleuets non sucrés	375 mL	1½ tasse
Yogourt nature	125 mL	½ tasse
Miel	15 mL	1 c. à table
Jaune d'œuf	1	1
● Blanc d'œuf	1	1

MODE DE PRÉPARATION

● Mettre les 4 premiers ingrédients dans le récipient du mélangeur.
Mélanger jusqu'à l'obtention d'une texture homogène.
Verser dans un récipient.
Couvrir et faire congeler jusqu'à la formation complète de cristaux de glace ; brasser vigoureusement aux 30 minutes (cette étape peut prendre 2 heures et plus).

● Battre le blanc d'œuf en neige ferme.
Fouetter le mélange de bleuets au batteur électrique à vitesse moyenne 1 minute, puis à haute vitesse 4 à 5 minutes.
Le mélange doit devenir crémeux, mais non liquide.
Incorporer le blanc d'œuf en pliant.
Verser dans un récipient hermétique ; congeler.

Note : sortir du congélateur environ 15 minutes avant de servir.

RENDEMENT : *4 portions*

TEMPS DE PRÉPARATION : *25 minutes*

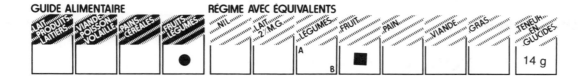

GUIDE ALIMENTAIRE — LAIT PRODUITS LAITIERS · VIANDE POISSON VOLAILLE · PAINS CÉRÉALES · FRUITS LÉGUMES ●

RÉGIME AVEC ÉQUIVALENTS — NIL · LAIT 2/M.G. · LÉGUMES A · FRUIT ■ · PAIN · VIANDE · GRAS · TENEUR EN GLUCIDES 14 g

MOUSSE À LA MANGUE

INGRÉDIENTS

	Métrique	Impérial
● **Gélatine neutre**	7 mL	1½ c. à thé
Eau froide	25 mL	2 c. à table
● **Mangue pelée**	1 de 350 g	1 de ¾ lb
● **Yogourt nature**	125 mL	½ tasse
Essence d'amande	1 mL	¼ c. à thé
● **Pêche non sucrée, pelée, coupée en quartiers**	1	1

RENDEMENT : *4 portions*

MODE DE PRÉPARATION

● Faire gonfler la gélatine dans l'eau. Chauffer à feu doux en brassant pour dissoudre.

● Réduire en purée au mélangeur.

● Mélanger la purée de mangue, le yogourt, l'essence d'amande et la gélatine. Verser dans des coupes à dessert. Mettre au réfrigérateur au moins 1 heure avant de servir.

● Garnir d'un quartier de pêche découpé en éventail.

TEMPS DE PRÉPARATION : *20 minutes*

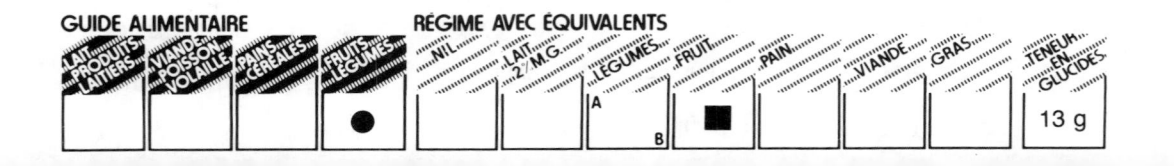

GUIDE ALIMENTAIRE

LAIT ET PRODUITS LAITIERS | VIANDE POISSON VOLAILLE | PAINS ET CÉRÉALES | FRUITS ET LÉGUMES ●

RÉGIME AVEC ÉQUIVALENTS

NIL | LAIT 2% M.G. | LÉGUMES A | FRUIT ■ | PAIN | VIANDE | GRAS | TENEUR EN GLUCIDES 13 g

B

MOUSSE AUX ABRICOTS

INGRÉDIENTS

	Métrique	Impérial
• Abricots non sucrés,* égouttés	20 moitiés	20 moitiés
• Blancs d'œufs battus en neige ferme	2	2

* 1 boîte de 540 mL (19 onces) en contient environ 24 moitiés.

RENDEMENT : *5 portions*

MODE DE PRÉPARATION

• Réduire en purée au mélangeur.

• Incorporer les blancs d'œufs à la purée d'abricots, en pliant.
Servir dans des coupes à dessert.

TEMPS DE PRÉPARATION : *10 minutes*

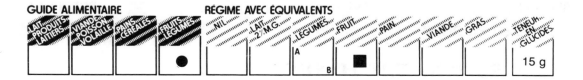

GUIDE ALIMENTAIRE

LAIT PRODUITS LAITIERS • VIANDE POISSON VOLAILLE • PAINS CÉRÉALES • FRUITS LÉGUMES

RÉGIME AVEC ÉQUIVALENTS

NIL • LAIT 2% M.G. • LÉGUMES A B • FRUIT • PAIN • VIANDE • GRAS • TENEUR EN GLUCIDES 15 g

PARFAIT AUX FRAISES

INGRÉDIENTS

	Métrique	Impérial
• **Gélatine neutre**	**1 sachet**	**1 sachet**
Eau froide	**50 mL**	**¼ tasse**
• **Lait glacé à la vanille**	**175 mL**	**¾ tasse**
Crème glacée à la vanille	**125 mL**	**½ tasse**
Lait 2% M.G.	**250 mL**	**1 tasse**
• **Amandes émincées**	**25 mL**	**2 c. à table**
• **Fraises non sucrées, tranchées**	**500 mL**	**2 tasses**

RENDEMENT : *4 portions*

MODE DE PRÉPARATION

• Faire gonfler la gélatine dans l'eau.

• Mélanger le lait glacé, la crème glacée, le lait et la gélatine gonflée.
Chauffer à feu doux, en brassant pour dissoudre la gélatine.
Mettre au réfrigérateur jusqu'à ce que le mélange adhère à la cuillère.

• Ajouter les amandes.

• Faire alterner les rangs de fraises et de mélange lacté dans un verre à parfait.

Mettre au réfrigérateur au moins 1 heure avant de servir.

TEMPS DE PRÉPARATION : *15 minutes*

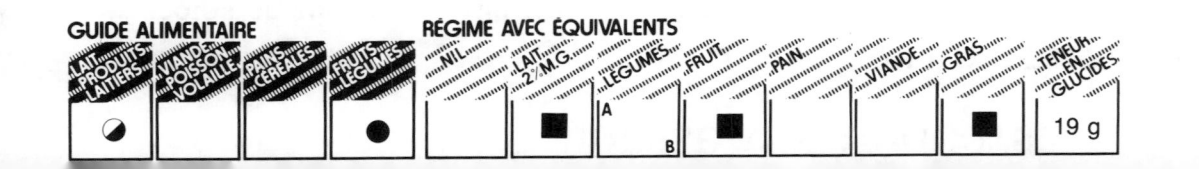

GUIDE ALIMENTAIRE — RÉGIME AVEC ÉQUIVALENTS

PÊCHES AUX PERLES BLEUES

INGRÉDIENTS

	Métrique	Impérial
• Bleuets non sucrés	125 mL	½ tasse
Cannelle	1 pincée	1 pincée
Jus d'orange non sucré	25 mL	2 c. à table
• Pêches non sucrées, pelées, tranchées	500 mL	2 tasses
• Noix de coco non sucrée	20 mL	4 c. à thé
Bleuets non sucrés	25 mL	2 c. à table

RENDEMENT : *4 portions*

MODE DE PRÉPARATION

• Mélanger les bleuets, la cannelle et le jus.
  Réduire en purée au mélangeur.

• Placer les tranches de pêches dans des coupes
  à dessert.
  Napper du mélange de bleuets.

• Décorer de noix de coco et de bleuets.

TEMPS DE PRÉPARATION : *15 minutes*

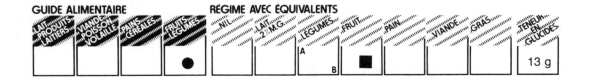

GUIDE ALIMENTAIRE — LAIT PRODUITS LAITIERS — VIANDE POISSON VOLAILLE — PAINS CÉRÉALES — FRUITS LÉGUMES ●

RÉGIME AVEC ÉQUIVALENTS — NIL — LAIT 2% M.G. — LÉGUMES A — FRUIT B ■ — PAIN — VIANDE — GRAS — TENEUR EN GLUCIDES 13 g

INGRÉDIENTS

	Métrique	Impérial
• Lait glacé à la vanille	300 mL	1¼ tasse
• Gélatine neutre	1 sachet	1 sachet
Eau froide	50 mL	¼ tasse
• Poires non sucrées, pelées, coupées en cubes	375 mL	1½ tasse
Kiwi pelé	1	1

RENDEMENT : *4 portions*

MODE DE PRÉPARATION

• Faire fondre le lait glacé.

• Faire gonfler la gélatine dans l'eau.
Chauffer à feu doux, en brassant pour dissoudre.

• Mélanger les poires, la moitié du kiwi, la gélatine dissoute et le lait glacé fondu.
Passer au mélangeur jusqu'à l'obtention d'une texture homogène.
Verser dans des coupes à dessert.
Décorer d'une tranche de kiwi.
Mettre au réfrigérateur au moins une heure avant de servir.

TEMPS DE PRÉPARATION : *15 minutes*

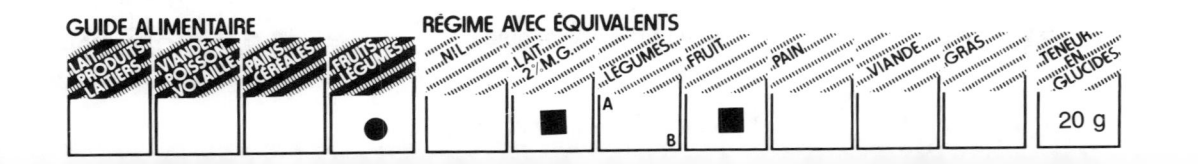

GUIDE ALIMENTAIRE — LAIT PRODUITS LAITIERS / VIANDE POISSON VOLAILLE / PAINS CÉRÉALES / FRUITS LÉGUMES ●

RÉGIME AVEC ÉQUIVALENTS — NIL / LAIT 2% M.G. ■ / LÉGUMES A / FRUIT ■ / PAIN / VIANDE / GRAS / TENEUR EN GLUCIDES 20 g

POMMES MACARON AU FOUR

INGRÉDIENTS

	Métrique	Impérial
• **Pommes**	**2 moyennes**	**2 moyennes**
Raisins secs	**50 mL**	**3 c. à table**

Macaron

	Métrique	Impérial
• **Amandes moulues**	**50 mL**	**¼ tasse**
Fécule de maïs	**7 mL**	**1½ c. à thé**
Blanc d'œuf battu en neige ferme	**1**	**1**
Vanille	**1 mL**	**¼ c. à thé**

RENDEMENT : *4 portions*

MODE DE PRÉPARATION

- Couper les pommes en deux ; enlever le cœur. Presser les raisins au centre de chaque moitié de pomme ; mettre dans un plat allant au four. Couvrir et cuire au four à 180°C (350°F) 25 minutes.

Macaron

- Mélanger les amandes moulues et la fécule. Y incorporer le blanc d'œuf et la vanille, en pliant. Retirer les pommes du four ; garnir chaque portion de ce mélange.

- Remettre au four 20 minutes ou jusqu'à ce que la garniture soit dorée. Laisser refroidir avant de servir.

TEMPS DE PRÉPARATION : *15 minutes*
TEMPS DE CUISSON : *45 minutes*

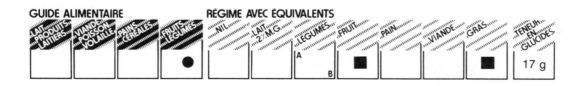

GUIDE ALIMENTAIRE — LAIT PRODUITS LAITIERS / VIANDE POISSON VOLAILLE / PAINS CÉRÉALES / FRUITS LÉGUMES ●

RÉGIME AVEC ÉQUIVALENTS — NIL / LAIT 2% M.G. / LÉGUMES A B / FRUIT ■ / PAIN / VIANDE / GRAS ■ / TENEUR EN GLUCIDES 17 g

POUDING AU RIZ BRUN

INGRÉDIENTS

	Métrique	Impérial
● Riz brun	75 mL	⅓ tasse
Lait 2% M.G.	500 mL	2 tasses
● Cassonade	15 mL	1 c. à table
Dattes séchées hachées	15 mL	1 c. à table

RENDEMENT : *4 portions*

MODE DE PRÉPARATION

● Placer le riz et le lait dans la partie supérieure d'un bain-marie.
Couvrir et cuire à feu moyen 1½ heure.

● Ajouter la cassonade et les dattes.
Poursuivre la cuisson 30 minutes.
Verser dans des coupes à dessert.
Laisser refroidir avant de servir.

TEMPS DE PRÉPARATION : *10 minutes*
TEMPS DE CUISSON : *2 heures*

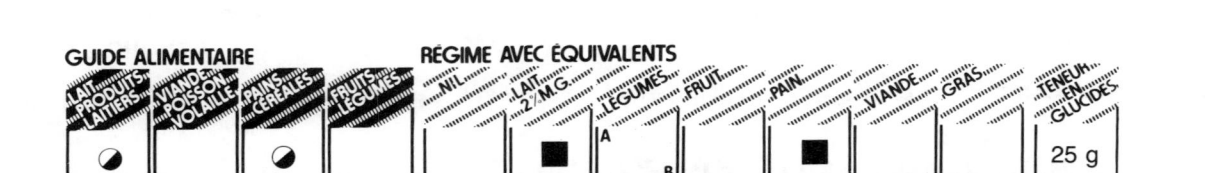

GUIDE ALIMENTAIRE — RÉGIME AVEC ÉQUIVALENTS

LAIT ET PRODUITS LAITIERS	VIANDE POISSON VOLAILLE	PAINS ET CÉRÉALES	FRUITS ET LÉGUMES	NIL	LAIT 2% M.G.	LÉGUMES	FRUIT	PAIN	VIANDE	GRAS	TENEUR EN GLUCIDES
◓	◓	◓			■	A / B		■			25 g

RHUBARBE TOURNESOL

INGRÉDIENTS

	Métrique	Impérial
• **Rhubarbe non sucrée, congelée**	500 g ou 500 mL	1 lb ou 2 tasses
Cassonade	15 mL	1 c. à table
Vanille	2 mL	½ c. à thé

Garniture

	Métrique	Impérial
• **Margarine ou beurre**	15 mL	1 c. à table
Graines de tournesol non salées	15 mL	1 c. à table
Raisins secs	25 mL	2 c. à table
Blé filamenté émietté	1 biscuit	1 biscuit

MODE DE PRÉPARATION

• Placer la rhubarbe dans une casserole et recouvrir d'eau.
Laisser mijoter jusqu'à ce que la rhubarbe soit tendre (15 minutes).
Égoutter.
Ajouter la cassonade et la vanille.

Garniture

• Faire fondre le gras dans un poêlon.
Y faire sauter les graines de tournesol à feu moyen 2 minutes.
Ajouter les raisins secs et le blé filamenté.
Cuire en brassant 1 minute.
Retirer du feu.
Verser la purée de rhubarbe dans des coupes à dessert.
Décorer de 25 mL (2 c. à table) de garniture.

Servir chaud ou froid.

RENDEMENT : *4 portions*

TEMPS DE PRÉPARATION : *15 minutes*
TEMPS DE CUISSON : *20 minutes*

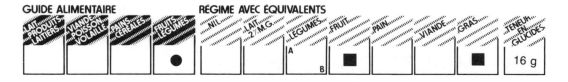

GUIDE ALIMENTAIRE — RÉGIME AVEC ÉQUIVALENTS

SALADE DE FRUITS AU YOGOURT

INGRÉDIENTS

	Métrique	Impérial
• Pomme verte coupée en dés	1 moyenne	1 moyenne
Pomme rouge coupée en dés	1 moyenne	1 moyenne
Orange pelée, en sections	1 moyenne	1 moyenne
Cantaloup coupé en cubes	½ moyen	½ moyen
Yogourt nature	125 mL	½ tasse
Menthe séchée (facultatif)	5 mL	1 c. à thé

MODE DE PRÉPARATION

• Mélanger tous les ingrédients.
Mettre au réfrigérateur au moins 1 heure avant de servir.

RENDEMENT : *4 portions*

TEMPS DE PRÉPARATION : *10 minutes*

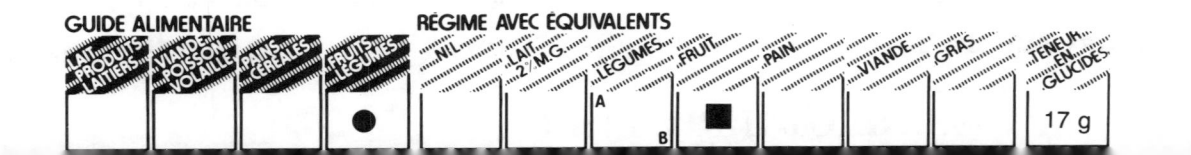

SORBET À L'ORANGE ET À L'ANANAS

INGRÉDIENTS

	Métrique	Impérial
• Gélatine neutre	5 mL	1 c. à thé
Jus d'ananas non sucré	125 mL	½ tasse
• Jus d'orange non sucré, congelé, non dilué	50 mL	¼ tasse
Ananas non sucré, broyé	50 mL	¼ tasse
Eau froide	100 mL	6 c. à table
Poudre de lait écrémé	50 mL	¼ tasse

RENDEMENT : *4 portions*

MODE DE PRÉPARATION

• Faire gonfler la gélatine dans le jus d'ananas. Chauffer à feu doux, en brassant pour dissoudre.

• Ajouter tous les autres ingrédients à la gélatine. Fouetter au batteur électrique jusqu'à l'obtention d'une mousse.
Couvrir et mettre au congélateur jusqu'à ce que le mélange soit à demi-congelé (2½ heures). Fouetter de nouveau, à vitesse lente, pour briser les cristaux de glace.
Continuer à battre, à vitesse rapide, 5 minutes ou jusqu'à ce que le mélange devienne crémeux, mais non liquide.
Faire congeler.

Note : sortir du congélateur environ 15 minutes avant de servir.

TEMPS DE PRÉPARATION : *15 minutes*

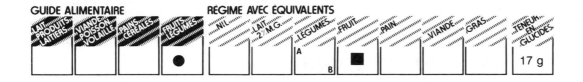

GUIDE ALIMENTAIRE — RÉGIME AVEC ÉQUIVALENTS

LAIT PRODUITS LAITIERS	VIANDE POISSON VOLAILLE	PAINS CÉRÉALES	FRUITS LÉGUMES	NIL	LAIT 2% M.G.	LÉGUMES A B	FRUIT	PAIN	VIANDE	GRAS	TENEUR EN GLUCIDES
			●				■				17 g

TAPIOCA ROUGEMONT

INGRÉDIENTS	Métrique	Impérial
• Tapioca à cuisson rapide	50 mL	3 c. à table
Cassonade	25 mL	2 c. à table
Sel	1 pincée	1 pincée
Lait 2% M.G.	500 mL	2 tasses
Oeuf battu	1	1
• Vanille	5 mL	1 c. à thé
Sauce aux pommes non sucrée* (voir p.208)	250 mL	1 tasse

MODE DE PRÉPARATION

- Mélanger les 5 premiers ingrédients.
  Laisser reposer 5 minutes.
  Amener à ébullition sur feu moyen dans une casserole à parois épaisses ; brasser continuellement.
  Poursuivre la cuisson jusqu'à épaississement (12 minutes) en continuant de brasser.
  Retirer du feu et laisser tiédir.

- Ajouter la vanille et la sauce aux pommes ; bien mélanger.

  Servir froid.

* Ne pas ajouter de menthe.

RENDEMENT : *6 portions*

TEMPS DE PRÉPARATION : *20 minutes*
TEMPS DE CUISSON : *15 minutes*

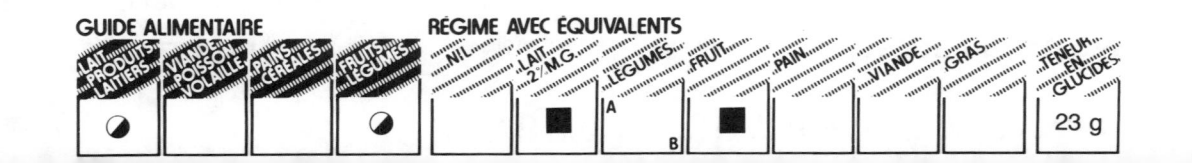

GUIDE ALIMENTAIRE   RÉGIME AVEC ÉQUIVALENTS

LAIT PRODUITS LAITIERS | VIANDE POISSON VOLAILLE | PAINS CÉRÉALES | FRUITS LÉGUMES | NIL | LAIT 2% M.G. | LÉGUMES | FRUIT | PAIN | VIANDE | GRAS | TENEUR EN GLUCIDES

23 g

TUTTI FRUTTI À LA PAPAYE

INGRÉDIENTS

	Métrique	Impérial
● Papaye pelée, coupée en cubes	1 de 500 g	1 de 1 lb
Bananes tranchées	2 petites	2 petites
Dattes séchées hachées	8	8
Jus de citron	50 mL	3 c. à table

RENDEMENT : *8 portions*

MODE DE PRÉPARATION

● Mélanger tous les ingrédients.
Mettre au réfrigérateur au moins 1 heure avant de servir.

TEMPS DE PRÉPARATION : *15 à 20 minutes*

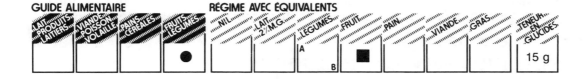

GUIDE ALIMENTAIRE

LAIT PRODUITS LATIERS / VIANDE POISSON VOLAILLE / PAINS CÉRÉALES / FRUITS LÉGUMES ●

RÉGIME AVEC ÉQUIVALENTS

NIL / LAIT 2% M.G. / LÉGUMES A B / FRUIT ■ / PAIN / VIANDE / GRAS / TENEUR EN GLUCIDES 15 g

YOGOURT GLACÉ AUX ABRICOTS

INGRÉDIENTS	Métrique	Impérial
● Abricots non sucrés*	24 moitiés	24 moitiés
Yogourt nature	250 mL	1 tasse
Lait évaporé 2% M.G.	125 mL	½ tasse
Jus de citron	15 mL	1 c. à table
Jus d'orange non sucré, congelé, non dilué	15 mL	1 c. à table
Sucre	25 mL	2 c. à table
● Blanc d'œuf	1	1

MODE DE PRÉPARATION

● Mettre les 6 premiers ingrédients dans le récipient du mélangeur.
Mélanger jusqu'à l'obtention d'une texture homogène.
Verser dans un grand bol.
Couvrir et faire congeler jusqu'à la formation complète de cristaux de glace ; brasser vigoureusement aux 30 minutes (cette étape peut prendre 2 heures et plus).

● Battre le blanc d'œuf en neige ferme.
Fouetter le mélange d'abricots au batteur électrique à vitesse moyenne 1 minute, puis à haute vitesse 4 à 5 minutes.
Le mélange doit devenir crémeux, mais non liquide.
Incorporer le blanc d'œuf en pliant.
Verser dans un récipient hermétique ; congeler.

Note : sortir du congélateur environ 15 minutes avant de servir.

* 1 boîte de 540 mL (19 onces) en contient environ 24 moitiés.

RENDEMENT : *6 portions*

TEMPS DE PRÉPARATION : *25 minutes*

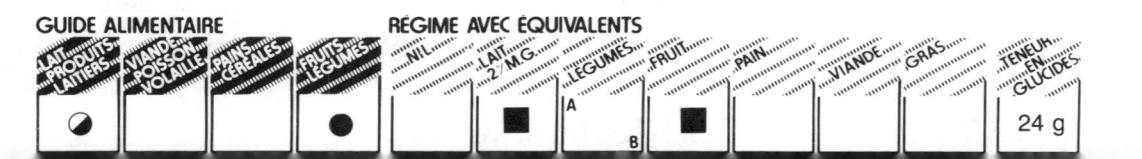

YOGOURT MAISON

INGRÉDIENTS

	Métrique	Impérial
● **Gélatine neutre**	**7 mL**	**1½ c. à thé**
Eau froide	**25 mL**	**2 c. à table**
● **Lait 2% M.G.**	**1 L**	**4 tasses**
Poudre de lait écrémé	**50 mL**	**¼ tasse**
● **Yogourt nature***	**25 mL**	**2 c. à table**

MODE DE PRÉPARATION

● Faire gonfler la gélatine dans l'eau.

● Mélanger le lait et la poudre de lait.
Faire bouillir 1 minute ; retirer du feu.
Ajouter la gélatine gonflée ; brasser jusqu'à ce que la gélatine soit dissoute.
Laisser refroidir le mélange à 35°C (115°F).

● Ajouter le yogourt ; bien mélanger.
Verser dans un pot de verre et couvrir.
Incuber de 4 à 5 heures dans un four froid avec la lampe allumée.
La consistance sera crémeuse et homogène.
Mettre au réfrigérateur au moins 4 heures avant de servir.

* Utiliser du yogourt nature sans gélatine ni amidon permet d'obtenir un produit de meilleure qualité.

RENDEMENT : *10 portions*

TEMPS DE PRÉPARATION : *30 minutes*
TEMPS DE CUISSON : *4 à 5 heures (incubation)*

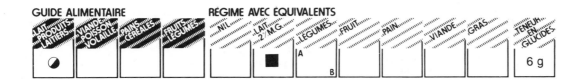

GUIDE ALIMENTAIRE

RÉGIME AVEC ÉQUIVALENTS

LAIT PRODUITS LAITIERS	VIANDE POISSON VOLAILLE	PAINS CÉRÉALES	FRUITS LÉGUMES	NIL	LAIT 2% M.G.	LÉGUMES	FRUIT	PAIN	VIANDE	GRAS	TENEUR EN GLUCIDES
					■	A B					6 g

BISCUITS AU GERME DE BLÉ

INGRÉDIENTS

	Métrique	Impérial
• **Farine de blé entier**	**500 mL**	**2 tasses**
Poudre à pâte	**10 mL**	**2 c. à thé**
Germe de blé	**125 mL**	**½ tasse**
Poudre de lait écrémé	**50 mL**	**¼ tasse**
• **Miel**	**75 mL**	**⅓ tasse**
Huile	**125 mL**	**½ tasse**
Oeufs battus	**2**	**2**
Vanille	**5 mL**	**1 c. à thé**

MODE DE PRÉPARATION

- Chauffer le four à 200°C (400°F).
  Placer la grille au haut du four.

- Mélanger les ingrédients secs.

- Mélanger le miel, l'huile, les œufs et la vanille.
  Ajouter aux ingrédients secs.
  Bien mélanger à l'aide d'une fourchette.
  Façonner les biscuits en boules d'environ 2 cm
  (¾ po.) de diamètre.
  Déposer sur une plaque à biscuits non graissée.
  Aplatir légèrement à l'aide d'une fourchette.
  Cuire environ 5 minutes.

RENDEMENT : *18 portions de 4 biscuits*

TEMPS DE PRÉPARATION : *25 minutes*
TEMPS DE CUISSON : *5 minutes*

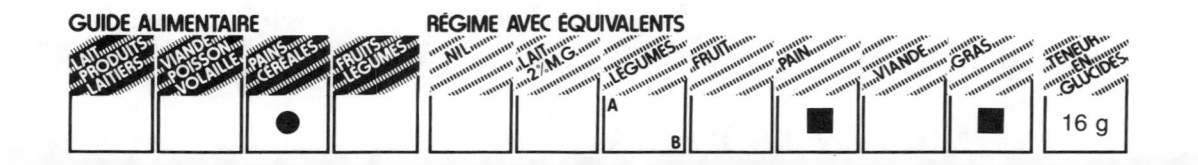

BISCUITS AU SEIGLE ET À LA MÉLASSE

INGRÉDIENTS

	Métrique	Impérial
• **Graisse végétale**	**125 mL**	**½ tasse**
Mélasse	**125 mL**	**½ tasse**
Raisins secs	**125 mL**	**½ tasse**
• **Farine de seigle**	**500 mL**	**2 tasses**
Poudre à pâte	**10 mL**	**2 c. à thé**
Sel	**2 mL**	**½ c. à thé**
Muscade	**2 mL**	**½ c. à thé**
Gingembre	**1 mL**	**¼ c. à thé**
Sauce aux pommes non sucrée	**125 mL**	**½ tasse**

RENDEMENT : *24 portions de 2 biscuits*

MODE DE PRÉPARATION

- Chauffer le four à 200°C (400°F).
  Placer la grille au haut du four.

- Défaire le gras en crème.
  Y ajouter la mélasse et les raisins secs ; mélanger.

- Mélanger les ingrédients secs.
  Incorporer au mélange de graisse en alternant avec la sauce aux pommes.
  Déposer à la cuillère de 15 mL (1 c. à table) sur des plaques à biscuits graissées.
  Cuire au four 10 minutes.
  Laisser refroidir avant de retirer de la plaque.

TEMPS DE PRÉPARATION : *15 minutes*
TEMPS DE CUISSON : *10 minutes*

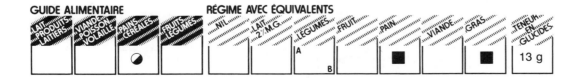

GUIDE ALIMENTAIRE — LAIT PRODUITS LAITIERS — VIANDE POISSON VOLAILLE — PAINS CÉRÉALES — FRUITS LÉGUMES

RÉGIME AVEC ÉQUIVALENTS — N.H. — LAIT 2% M.G. — LÉGUMES A B — FRUIT — PAIN — VIANDE — GRAS — TENEUR EN GLUCIDES 13 g

BISCUITS SANTÉ

INGRÉDIENTS	Métrique	Impérial
• **Margarine ou beurre**	75 mL	⅓ **tasse**
Cassonade	75 mL	⅓ **tasse**
• **Oeufs battus**	2	2
Essence de vanille	7 mL	1½ **c. à thé**
Eau	15 mL	1 **c. à table**
• **Farine de blé entier**	125 mL	½ **tasse**
Poudre à pâte	4 mL	¾ **c. à thé**
Sel	2 mL	½ **c. à thé**
Germe de blé	250 mL	1 **tasse**
Flocons d'avoine	375 mL	1½ **tasse**
Raisins secs	125 mL	½ **tasse**
Graines de tournesol non salées	75 mL	⅓ **tasse**

RENDEMENT : *18 portions de 2 biscuits*

MODE DE PRÉPARATION

- Chauffer le four à 190°C (375°F).
  Placer la grille au haut du four.

- Défaire le gras en crème.
  Ajouter la cassonade ; bien battre.

- Ajouter les ingrédients liquides ; bien battre.

- Mélanger les ingrédients secs, les raisins et les graines de tournesol.
  Ajouter au premier mélange.
  Bien mélanger.
  Presser la pâte dans une cuillère de 15 mL (1 c. à table) et déposer sur une plaque à biscuits graissée.
  Cuire 10 minutes environ.

TEMPS DE PRÉPARATION : *30 minutes*
TEMPS DE CUISSON : *10 minutes*

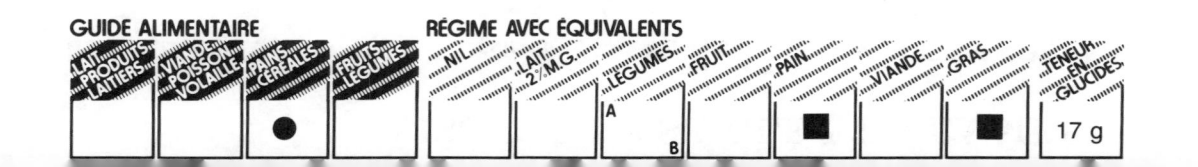

GUIDE ALIMENTAIRE — RÉGIME AVEC ÉQUIVALENTS

LAIT PRODUITS LAITIERS	VIANDE POISSON VOLAILLE	PAINS CÉRÉALES	FRUITS LÉGUMES	NIL	LAIT 2% M.G.	LÉGUMES	FRUIT	PAIN	VIANDE	GRAS	TENEUR EN GLUCIDES
		●				A B		■		■	17 g

BOUCHÉES AUX NOIX

INGRÉDIENTS	Métrique	Impérial
● **Croûte à dessert** **(voir p. 169)**	**1 recette**	**1 recette**
Garniture		
● **Noix hachées**	**125 mL**	**½ tasse**
Oeufs battus	**2**	**2**
Noix de coco non sucrée, râpée	**125 mL**	**½ tasse**
Cassonade	**50 mL**	**¼ tasse**
Poudre à pâte	**5 mL**	**1 c. à thé**
Sel	**0,5 mL**	**⅛ c. à thé**
Vanille	**2 mL**	**½ c. à thé**

RENDEMENT : *16 portions*

MODE DE PRÉPARATION

● Préparer et cuire selon la recette.

Garniture

● Mélanger tous les ingrédients et verser sur la croûte cuite.
Cuire à 200°C (400°F) 15 minutes.

TEMPS DE PRÉPARATION : *20 minutes*
TEMPS DE CUISSON : *30 minutes*

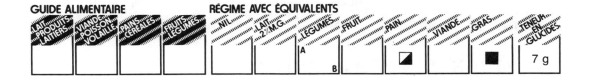

7 g

167

CACHETTE AUX BLEUETS

INGRÉDIENTS

	Métrique	Impérial
• **Pâte à tarte de blé entier (voir p. 187)**	**1 abaisse**	**1 abaisse**
• **Bleuets non sucrés**	**375 mL**	**1½ tasse**
Sucre	**15 mL**	**1 c. à table**
• **Oeuf battu**	**1**	**1**

MODE DE PRÉPARATION

- Abaisser la pâte en un rectangle d'environ 30 cm × 25 cm (12 po. × 10 po.).

- Étendre les bleuets sur la moitié de la pâte dans le sens de la longueur.
  Saupoudrer de sucre.

- S'assurer qu'il y a une bordure libre de 2,5 cm (1 po.) sur les 4 côtés de la pâte.
  Mouiller d'œuf battu la bordure de pâte.
  Rabattre la pâte sur les bleuets, bien sceller le contour.
  Placer délicatement à l'aide de 2 spatules sur une plaque à biscuits graissée.
  Faire 3 entailles en diagonale sur le dessus de la pâte.
  Badigeonner d'œuf.
  Cuire au four à 220°C (425°F) 15 minutes.
  Régler le four à 190°C (375°F) et poursuivre la cuisson 30 minutes.

RENDEMENT : *6 portions*

TEMPS DE PRÉPARATION : *20 minutes*
TEMPS DE CUISSON : *45 minutes*

GUIDE ALIMENTAIRE

LAIT PRODUITS LAITIERS	VIANDE POISSON VOLAILLE	PAINS CÉRÉALES	FRUITS LÉGUMES
		●	◑

RÉGIME AVEC ÉQUIVALENTS

NIL	LAIT 2% M.G.	LÉGUMES	FRUIT	PAIN	VIANDE	GRAS	TENEUR EN GLUCIDES
		A B				■■	18 g

CROÛTE À DESSERT

INGRÉDIENTS

	Métrique	Impérial
• **Farine de blé entier**	**125 mL**	**½ tasse**
Son	**25 mL**	**2 c. à table**
Germe de blé	**25 mL**	**2 c. à table**
Sel	**1 pincée**	**1 pincée**
Poudre à pâte	**2 mL**	**½ c. à thé**
• **Margarine ou beurre**	**50 mL**	**¼ tasse**

RENDEMENT : *16 portions*

MODE DE PRÉPARATION

- Mélanger tous les ingrédients secs.

- Y couper le gras.
  Presser la pâte dans un moule de 20 cm × 20 cm (8 po. × 8 po.).
  Cuire à 180°C (350°F) 15 minutes.

TEMPS DE PRÉPARATION : *10 minutes*
TEMPS DE CUISSON : *15 minutes*

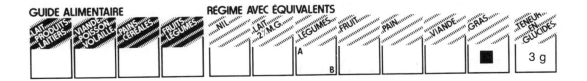

GUIDE ALIMENTAIRE — LAIT PRODUITS LAITIERS — VIANDE POISSON VOLAILLE — PAINS CÉRÉALES — FRUITS LÉGUMES

RÉGIME AVEC ÉQUIVALENTS — NIL — LAIT 2% M.G. — LÉGUMES — FRUIT — PAIN — VIANDE — GRAS — TENEUR EN GLUCIDES

A
B
3 g

GÂTEAU AU FROMAGE

INGRÉDIENTS	Métrique	Impérial
Croûte		
● **Margarine ou beurre**	50 mL	¼ **tasse**
Biscuits Graham émiettés	16	16
Préparation au fromage		
● **Gélatine neutre**	2 sachets	2 sachets
Cassonade	50 mL	¼ **tasse**
Sel	1 mL	¼ **c. à thé**
● **Jaunes d'œufs**	3	3
Yogourt nature	250 mL	1 tasse
Lait 2% M.G.	200 mL	¾ **tasse**
Vanille	5 mL	1 c. à thé
● **Fromage cottage,** **égoutté**	500 mL	2 tasses
Lait glacé à la vanille	300 mL	1⅓ **tasse**

MODE DE PRÉPARATION

Croûte

● Chauffer le four à 180°C (350°F).
Mélanger le gras et les miettes de biscuits.
En tapisser le fond et les côtés d'un moule à charnière de 25 cm (10 po.) de diamètre.
Cuire au four jusqu'à ce que la croûte soit dorée (3 minutes).

Préparation au fromage

● Mélanger la gélatine, la cassonade et le sel.

● Bien battre les jaunes d'œufs ; y mélanger le yogourt, le lait et la vanille.
Ajouter au mélange de gélatine.
Cuire dans un bain-marie à feu moyen 10 minutes en brassant jusqu'à consistance crémeuse.
Retirer la partie supérieure du bain-marie ; laisser refroidir à la température de la pièce 30 minutes.

● Passer le fromage au mélangeur jusqu'à consistance crémeuse.
Ajouter au mélange de gélatine ; bien mélanger.
Ajouter le lait glacé.

● **Blancs d'œufs**	**3**	**3**

● Battre les blancs d'œufs en neige ferme ; incorporer au mélange de fromage, en pliant.

Garniture aux fruits

● **Fécule de maïs**	**15 mL**	**1 c. à table**
Cassonade	**15 mL**	**1 c. à table**
Fraises non sucrées, décongelées, égouttées	**500 mL**	**2 tasses**
Jus des fraises	**250 mL**	**1 tasse**

Garniture aux fruits

● Mélanger la fécule de maïs, la cassonade et le jus de fruits.
 Amener à ébullition ; poursuivre la cuisson à feu moyen 5 minutes, en brassant jusqu'à épaississement.
 Retirer du feu.
 Ajouter les fruits ; mélanger délicatement.
 Laisser refroidir.

Montage du gâteau

● Verser la garniture au fromage sur la croûte.
 Mettre au réfrigérateur jusqu'à consistance ferme (1 heure).
 Napper de garniture aux fruits.
 (Si la garniture est trop épaisse, réchauffer à feu doux jusqu'à consistance désirée.)
 Mettre au réfrigérateur au moins 1 heure et servir.

RENDEMENT : *16 portions*

TEMPS DE PRÉPARATION : *1 heure*
TEMPS DE CUISSON : *20 minutes*

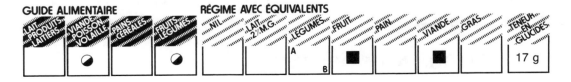

GUIDE ALIMENTAIRE — LAIT PRODUITS LAITIERS / VIANDE POISSON VOLAILLE / PAINS CÉRÉALES / FRUITS LÉGUMES

RÉGIME AVEC ÉQUIVALENTS — NIL / LAIT 2% M.G. / LÉGUMES / FRUIT / PAIN / VIANDE / GRAS / TENEUR EN GLUCIDES 17 g

A — B

GÂTEAU AUX FRUITS

INGRÉDIENTS	Métrique	Impérial
• **Farine de blé entier**	**500 mL**	**2 tasses**
Poudre à pâte	**10 mL**	**2 c. à thé**
Soda à pâte	**2 mL**	**½ c. à thé**
Cannelle	**5 mL**	**1 c. à thé**
Sel	**1 mL**	**¼ c. à thé**
Fruits séchés mélangés	**125 mL**	**½ tasse**
(pommes, abricots,		
poires, dattes, etc.)		
Noix hachées	**50 mL**	**¼ tasse**
• **Essence de rhum**	**10 mL**	**2 c. à thé**
(facultatif)		
Yogourt nature	**250 mL**	**1 tasse**
• **Margarine ou beurre**	**75 mL**	**⅓ tasse**
Miel	**50 mL**	**¼ tasse**
Oeuf	**1**	**1**
• **Noix hachées**	**15 mL**	**1 c. à table**

MODE DE PRÉPARATION

- Chauffer le four à 180°C (350°F).
  Mélanger les ingrédients secs.
  Ajouter les fruits séchés et les noix.

- Ajouter l'essence de rhum au yogourt.

- Battre ensemble le gras et le miel.
  Ajouter l'œuf ; bien battre.
  Incorporer graduellement le mélange de farine en alternant avec le yogourt ; finir par la farine.
  Verser dans un moule à pain graissé.

- Saupoudrer la pâte de noix hachées.
  Cuire 50 minutes.

Variante : à l'amande

	Métrique	Impérial
Amandes hachées	**50 mL**	**¼ tasse**
Essence d'amande	**10 mL**	**2 c. à thé**

Procéder comme pour la préparation du gâteau aux fruits en omettant la cannelle et en remplaçant les noix par les amandes et l'essence de rhum par l'essence d'amande.

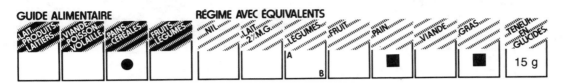

GUIDE ALIMENTAIRE

RÉGIME AVEC ÉQUIVALENTS

GALETTES DE SARRASIN

INGRÉDIENTS

	Métrique	Impérial
• **Farine de sarrasin**	**750 mL**	**3 tasses**
Eau	1 L	4 tasses
Sel	5 mL	1 c. à thé
Soda à pâte	4 mL	¾ c. à thé
Oeuf battu	1	1

RENDEMENT : *16 galettes*

MODE DE PRÉPARATION

• Mélanger tous les ingrédients.
Laisser reposer la pâte 15 minutes.
Badigeonner la surface d'un poêlon de 13 cm (5 po.) avec un peu d'huile.
Chauffer à feu vif, puis réduire à feu moyen.
Pour une galette :
  Étendre 75 mL (⅓ tasse) du mélange dans un poêlon ; cuire 2 à 3 minutes de chaque côté.
  Ajouter de l'huile au besoin pour la cuisson des autres galettes.

Servir avec l'une des confitures ou des marmelades proposées aux pages 216 à 222.

TEMPS DE PRÉPARATION : *25 minutes*
TEMPS DE CUISSON : *5 minutes par galette*

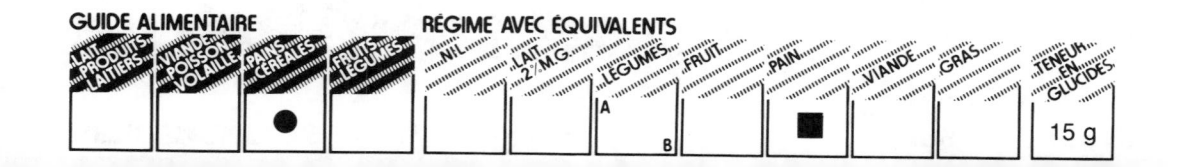

GUIDE ALIMENTAIRE — LAIT ET PRODUITS LAITIERS / VIANDE, POISSON ET VOLAILLE / PAIN ET CÉRÉALES / FRUITS ET LÉGUMES

RÉGIME AVEC ÉQUIVALENTS — NIL / LAIT 2% M.G. / LÉGUMES / FRUIT / PAIN / VIANDE / GRAS / TENEUR EN GLUCIDES — 15 g

MUFFINS À L'AVOINE ET AUX RAISINS

INGRÉDIENTS

	Métrique	Impérial
• Flocons d'avoine	150 mL	⅔ tasse
Lait 2% M.G.	250 mL	1 tasse
Oeuf battu	1	1
Huile	50 mL	¼ tasse
• Farine de blé entier	300 mL	1⅓ tasse
Cassonade	25 mL	2 c. à table
Poudre à pâte	15 mL	1 c. à table
Cannelle	3 mL	½ c. à thé
Sel	2 mL	½ c. à thé
Raisins secs	25 mL	2 c. à table

RENDEMENT : *12 muffins*

MODE DE PRÉPARATION

- Chauffer le four à 200°C (400°F).
- Mélanger les flocons d'avoine, le lait, l'œuf et l'huile ; laisser reposer 10 minutes.
- Mélanger les ingrédients secs et les raisins. Y ajouter le mélange de flocons d'avoine et d'ingrédients liquides. Brasser juste assez pour humecter les ingrédients secs. Emplir aux ⅔ des moules à muffins graissés. Cuire 15 à 20 minutes.

TEMPS DE PRÉPARATION : *20 minutes*
TEMPS DE CUISSON : *15 à 20 minutes*

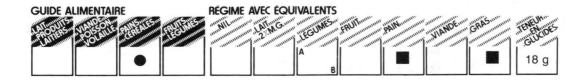

GUIDE ALIMENTAIRE — LAIT ET PRODUITS LAITIERS / VIANDE, POISSON, VOLAILLE / PAINS ET CÉRÉALES ● / FRUITS ET LÉGUMES

RÉGIME AVEC ÉQUIVALENTS — NIL / LAIT 2% M.G. / LÉGUMES A / FRUIT B / PAIN ■ / VIANDE / GRAS ■ / TENEUR EN GLUCIDES 18 g

MUFFINS À L'ORANGE

INGRÉDIENTS	Métrique	Impérial
• Flocons d'avoine	150 mL	⅔ tasse
Jus d'orange non sucré	250 mL	1 tasse
Zestes d'orange	15 mL	1 c. à table
Oeuf battu	1	1
Huile	50 mL	¼ tasse
• Farine de blé entier	300 mL	1⅓ tasse
Cassonade	25 mL	2 c. à table
Poudre à pâte	15 mL	1 c. à table
Sel	1 mL	¼ c. à thé

RENDEMENT : *12 muffins*

MODE DE PRÉPARATION

- Chauffer le four à 200°C (400°F).

- Mélanger les flocons d'avoine, le jus d'orange, les zestes, l'œuf et l'huile ; laisser reposer 10 minutes.

- Mélanger les ingrédients secs.
  Ajouter le mélange de flocons d'avoine et d'ingrédients liquides.
  Brasser juste assez pour humecter les ingrédients secs.
  Emplir aux ⅔ des moules à muffins graissés.
  Cuire 15 à 20 minutes.

TEMPS DE PRÉPARATION : *15 minutes*
TEMPS DE CUISSON : *15 à 20 minutes*

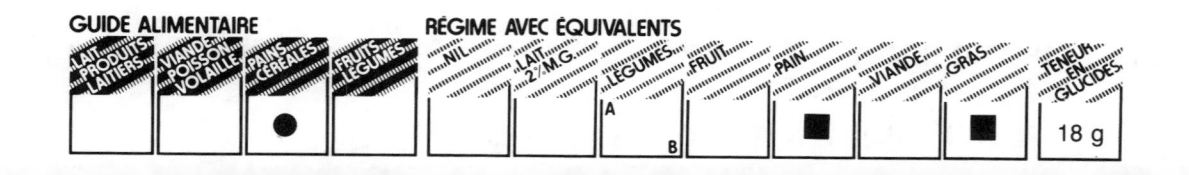

MUFFINS AU SON ET À LA NOIX DE COCO

INGRÉDIENTS

	Métrique	Impérial
● Céréales de son (genre All Bran)	250 mL	1 tasse
Lait 2% M.G.	250 mL	1 tasse
Oeuf battu	1	1
Huile	50 mL	3 c. à table
● Farine de blé entier	250 mL	1 tasse
Sucre	25 mL	2 c. à table
Poudre à pâte	15 mL	1 c. à table
Sel	2 mL	½ c. à thé
Noix de coco non sucrée, râpée	100 mL	6 c. à table
● Noix de coco non sucrée, râpée	25 mL	2 c. à table

RENDEMENT : *12 muffins*

MODE DE PRÉPARATION

● Chauffer le four à 200°C (400°F).

● Mélanger les céréales et le lait ; laisser reposer jusqu'à ce que le liquide soit absorbé.
Ajouter l'œuf et l'huile ; bien brasser.

● Mélanger les ingrédients secs et la noix de coco.
Ajouter au mélange de céréales.
Mélanger juste assez pour humecter les ingrédients secs.
Emplir aux ⅔ des moules à muffins graissés.

● Saupoudrer chaque muffin de noix de coco.
Cuire 20 à 25 minutes.

TEMPS DE PRÉPARATION : *20 minutes*
TEMPS DE CUISSON : *25 minutes*

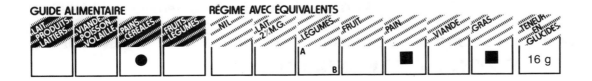

GUIDE ALIMENTAIRE

LAIT ET PRODUITS LAITIERS / VIANDE POISSON VOLAILLE / PAINS ET CÉRÉALES / FRUITS ET LÉGUMES

RÉGIME AVEC ÉQUIVALENTS

NIL / LAIT 2% M.G. / LÉGUMES / FRUIT / PAIN / VIANDE / GRAS / TENEUR EN GLUCIDES

A B   16 g

MUFFINS AUX ABRICOTS

INGRÉDIENTS	Métrique	Impérial
• **Farine de blé entier**	**500 mL**	**2 tasses**
Sucre	**50 mL**	**¼ tasse**
Poudre à pâte	**15 mL**	**1 c. à table**
Sel	**2 mL**	**½ c. à thé**
• **Huile**	**50 mL**	**¼ tasse**
Oeuf battu	**1**	**1**
Lait 2% M.G.	**250 mL**	**1 tasse**
• **Abricots non sucrés**	**6 moitiés**	**6 moitiés**

Variante : Muffins St-Valentin

Fraises non sucrées	**50 mL**	**¼ tasse**
Framboises non sucrées	**50 mL**	**¼ tasse**
Fécule de maïs	**7 mL**	**1½ c. à thé**
Eau froide	**15 mL**	**1 c. à table**

GUIDE ALIMENTAIRE

RÉGIME AVEC ÉQUIVALENTS

MODE DE PRÉPARATION

- Chauffer le four à 200°C (400°F).
- Mélanger les ingrédients secs.

- Mélanger l'huile, l'œuf et le lait.
  Ajouter aux ingrédients secs.
  Mélanger juste assez pour les humecter.

- Réduire les abricots en purée.
  Verser la moitié de la pâte dans 12 moules à muffins graissés.
  Répartir la purée d'abricots sur la pâte.
  Recouvrir avec le reste de la pâte.
  Cuire au four 25 minutes.

- Faire chauffer les fruits dans la partie supérieure d'un bain-marie, jusqu'à ébullition.
  Ajouter la fécule délayée dans l'eau.
  Cuire en brassant jusqu'à épaississement (1 minute).
  Réduire en purée.
  Substituer cette purée à celle d'abricots dans la préparation des muffins.

RENDEMENT : *12 muffins*
TEMPS DE PRÉPARATION : *15 minutes*
TEMPS DE CUISSON : *25 minutes*

MUFFINS AUX DATTES

INGRÉDIENTS

	Métrique	Impérial
• **Farine de blé entier**	**500 mL**	**2 tasses**
Poudre à pâte	**10 mL**	**2 c. à thé**
Soda à pâte	**2 mL**	**½ c. à thé**
Sel	**2 mL**	**½ c. à thé**
Dattes séchées hachées	**175 mL**	**¾ tasse**
• **Cassonade**	**25 mL**	**2 c. à table**
Oeuf	**1**	**1**
Yogourt nature	**250 mL**	**1 tasse**
Lait 2% M.G.	**125 mL**	**½ tasse**
Huile	**50 mL**	**¼ tasse**
Café instantané	**15 mL**	**1 c. à table**

Variante : au germe de blé

	Métrique	Impérial
Germe de blé	**125 mL**	**½ tasse**

MODE DE PRÉPARATION

- Chauffer le four à 200°C (400°F).
- Mélanger les ingrédients secs.
  Ajouter les dattes.

- Battre la cassonade et l'œuf.
  Y ajouter les autres ingrédients.
  Mélanger au batteur électrique 3 minutes.
  Ajouter ce mélange aux ingrédients secs.
  Mélanger juste assez pour les humecter.
  Emplir aux ⅔ des moules à muffins graissés.
  Cuire 20 minutes.

- Diminuer la quantité de farine à 375 mL (1½ tasse).
  Ajouter le germe de blé aux ingrédients secs.

RENDEMENT : *12 gros muffins*

TEMPS DE DE PRÉPARATION : *25 minutes*
TEMPS DE CUISSON : *20 minutes*

GUIDE ALIMENTAIRE

LAIT PRODUITS LAITIERS	VIANDE POISSON VOLAILLE	PAINS CÉRÉALES	FRUITS LÉGUMES
		●	●

RÉGIME AVEC ÉQUIVALENTS

NIL	LAIT 2% M.G.	LÉGUMES	FRUIT	PAIN	VIANDE	GRAS	TENEUR EN GLUCIDES
		A B	■	■		■	28 g

MUFFINS AUX PRUNEAUX

INGRÉDIENTS

	Métrique	Impérial
• **Son**	**125 mL**	**½ tasse**
Flocons d'avoine	**250 mL**	**1 tasse**
Germe de blé	**175 mL**	**¾ tasse**
Jus de pomme non sucré	**250 mL**	**1 tasse**
• **Miel**	**75 mL**	**⅓ tasse**
Oeufs battus	**2**	**2**
Huile	**75 mL**	**⅓ tasse**
• **Farine de blé entier**	**250 mL**	**1 tasse**
Poudre à pâte	**10 mL**	**2 c. à thé**
Soda à pâte	**2 mL**	**½ c. à thé**
Cannelle	**5 mL**	**1 c. à thé**
Sel	**2 mL**	**½ c. à thé**
Pruneaux séchés hachés	**24 moyens**	**24 moyens**

RENDEMENT : *18 muffins*

MODE DE PRÉPARATION

- Chauffer le four à 200°C (400°F).

- Mélanger les 4 premiers ingrédients.
  Laisser reposer 30 minutes.

- Ajouter le miel, les œufs et l'huile ; bien mélanger.

- Mélanger la farine, la poudre à pâte, le soda, la cannelle et le sel.
  Ajouter les pruneaux ; mélanger.
  Ajouter au premier mélange.
  Mélanger juste assez pour humecter les ingrédients secs.
  Emplir aux ⅔ des moules à muffins non graissés.
  Cuire 15 à 20 minutes.

TEMPS DE PRÉPARATION : *40 minutes*
TEMPS DE CUISSON : *15 à 20 minutes*

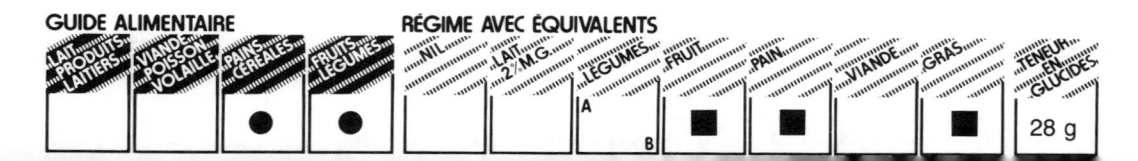

GUIDE ALIMENTAIRE — RÉGIME AVEC ÉQUIVALENTS

PAIN AUX BANANES

INGRÉDIENTS

	Métrique	Impérial
● Farine de blé entier	**375 mL**	**1½ tasse**
Sucre	**50 mL**	**¼ tasse**
Poudre à pâte	**10 mL**	**2 c. à thé**
Soda à pâte	**2 mL**	**½ c. à thé**
Sel	**2 mL**	**½ c. à thé**
● Huile	**50 mL**	**¼ tasse**
Oeufs	**2**	**2**
Bananes mûres, en purée	**375 mL**	**1½ tasse**
Vanille (facultatif)	**5 mL**	**1 c. à thé**
Céréales de son (genre All Bran)	**250 mL**	**1 tasse**
Graines de tournesol non salées	**50 mL**	**¼ tasse**

RENDEMENT : *18 tranches*

MODE DE PRÉPARATION

● Chauffer le four à 180°C (350°F).

● Mélanger les ingrédients secs.

● Mélanger l'huile, les œufs, la purée de bananes et la vanille.
Ajouter les céréales et les graines de tournesol.
Ajouter ce mélange aux ingrédients secs.
Mélanger juste assez pour les humecter.
Verser dans un moule à pain graissé.
Cuire 1 heure.
Laisser refroidir avant de trancher.

TEMPS DE PRÉPARATION : *20 minutes*
TEMPS DE CUISSON : *1 heure*

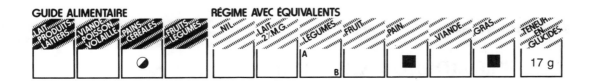

GUIDE ALIMENTAIRE | RÉGIME AVEC ÉQUIVALENTS

LAIT PRODUITS LAITIERS | VIANDE POISSON VOLAILLE | PAINS CÉRÉALES | FRUITS LÉGUMES | NIL | LAIT 2% M.G. | LÉGUMES | FRUIT | PAIN | VIANDE | GRAS | TENEUR EN GLUCIDES

17 g

PAIN AUX COURGETTES

INGRÉDIENTS	Métrique	Impérial
• **Farine tout usage**	**250 mL**	**1 tasse**
Farine de blé entier	**250 mL**	**1 tasse**
Poudre à pâte	**7 mL**	**1½ c. à thé**
Soda à pâte	**2 mL**	**½ c. à thé**
Sel	**2 mL**	**½ c. à thé**
Cannelle	**7 mL**	**1½ c. à thé**
Piment de la Jamaïque (allspice)	**2 mL**	**½ c. à thé**
• **Oeufs**	**2**	**2**
Huile	**75 mL**	**⅓ tasse**
Miel	**50 mL**	**¼ tasse**
Vanille	**5 mL**	**1 c. à thé**
Zucchinis (pelés ou non), râpés	**375 mL**	**1½ tasse**
Noix de Grenoble hachées	**75 mL**	**⅓ tasse**
Graines de sésame	**5 mL**	**1 c. à thé**

Suggestions : Galettes

Muffins

MODE DE PRÉPARATION

- Chauffer le four à 180°C (350°F).

- Mélanger les ingrédients secs.

- Mélanger les ingrédients liquides.
  Y ajouter les zucchinis, les noix et les graines de sésame.
  Ajouter aux ingrédients secs.
  Mélanger juste assez pour les humecter.
  Verser dans un moule à pain graissé.
  Cuire 1 heure.

Déposer à la cuillère de 15 mL (1 c. à table) sur une plaque à biscuits graissée.
Aplatir et cuire 10 minutes à 200°C (400°F).

Remplir aux ⅔ des moules à muffins graissés.
Cuire à 180°C (350°F) de 15 à 20 minutes.

RENDEMENT : 18 tranches
18 portions de 2 galettes
18 muffins

TEMPS DE PRÉPARATION : 25 minutes
TEMPS DE CUISSON : 1 heure (pain)
10 minutes (galettes)
15 à 20 minutes
(muffins)

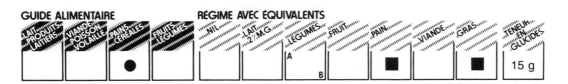

GUIDE ALIMENTAIRE

LAIT PRODUITS LAITIERS | VIANDE POISSON VOLAILLE | PAINS CÉRÉALES | FRUITS LÉGUMES

RÉGIME AVEC ÉQUIVALENTS

NIL | LAIT 2% M.G. | LÉGUMES | FRUIT | PAIN | VIANDE | GRAS | TENEUR EN GLUCIDES

A
B

15 g

PAIN AUX DATTES ET À L'ORANGE

INGRÉDIENTS

	Métrique	Impérial
• **Farine de blé entier**	**425 mL**	**1¾ tasse**
Soda à pâte	**2 mL**	**½ c. à thé**
Poudre à pâte	**10 mL**	**2 c. à thé**
Cannelle	**5 mL**	**1 c. à thé**
Sel	**2 mL**	**½ c. à thé**
Cassonade	**50 mL**	**¼ tasse**
Dattes séchées hachées	**125 mL**	**½ tasse**
• **Jus d'orange non sucré**	**150 mL**	**⅔ tasse**
Zestes d'orange	**10 mL**	**2 c. à thé**
Huile	**25 mL**	**2 c. à table**
Oeufs battus	**2**	**2**
Carotte râpée	**75 mL**	**⅓ tasse**

RENDEMENT : *18 tranches*

MODE DE PRÉPARATION

- Chauffer le four à 180°C (350°F).

- Mélanger les ingrédients secs.
  Ajouter les dattes.

- Mélanger le jus d'orange, les zestes, l'huile, les œufs et les carottes râpées.
  Ajouter aux ingrédients secs.
  Mélanger juste assez pour les humecter.
  Verser dans un moule à pain graissé.
  Cuire 50 à 60 minutes.

TEMPS DE PRÉPARATION : *20 minutes*
TEMPS DE CUISSON : *50 à 60 minutes*

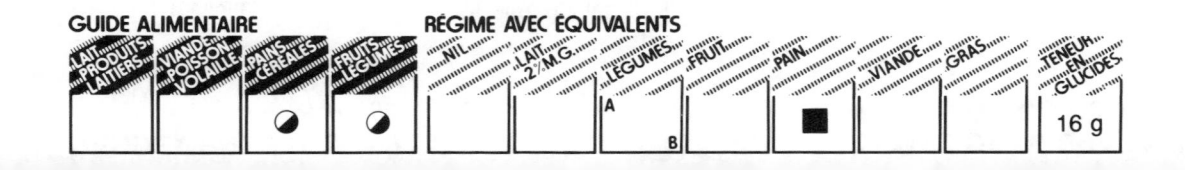

GUIDE ALIMENTAIRE

LAIT PRODUITS LAITIERS | VIANDE POISSON VOLAILLE | PAINS CÉRÉALES | FRUITS LÉGUMES

RÉGIME AVEC ÉQUIVALENTS

NIL | LAIT 2% M.G. | LÉGUMES | FRUIT | PAIN | VIANDE | GRAS | TENEUR EN GLUCIDES

16 g

PAIN GALLOIS

INGRÉDIENTS

	Métrique	Impérial
• **Farine de blé entier**	500 mL	2 tasses
Poudre à pâte	10 mL	2 c. à thé
Sel	1 pincée	1 pincée
Sucre	50 mL	¼ tasse
• **Margarine ou beurre**	50 mL	¼ tasse
• **Oeuf battu**	1	1
Raisins secs	125 mL	½ tasse
Lait 2% M.G.	150 mL	⅔ tasse

MODE DE PRÉPARATION

- Chauffer le four à 220°C (425°F).
- Mélanger les ingrédients secs.
- Couper le gras dans les ingrédients secs jusqu'à ce que le mélange soit grumeleux.
- Ajouter l'œuf battu, les raisins et le lait. Pétrir sur une planche enfarinée, 3 à 4 minutes.
- Diviser la pâte en quatre parties égales. Façonner en rouleaux de 7 cm (3 po.) sur une planche enfarinée. Diviser chaque rouleau en 3 parties égales. Déposer les pains sur une plaque à biscuits non graissée. Cuire 3 minutes de chaque côté. Régler le four à 200°C (400°F) et poursuivre la cuisson 5 minutes, sans retourner les pains.

RENDEMENT : *12 pains*

TEMPS DE PRÉPARATION : *15 minutes*
TEMPS DE CUISSON : *10 minutes*

GUIDE ALIMENTAIRE

RÉGIME AVEC ÉQUIVALENTS

185

PAIN SURET AUX CANNEBERGES

INGRÉDIENTS

	Métrique	Impérial
• **Canneberges non sucrées, hachées**	**250 mL**	**1 tasse**
Miel	**15 mL**	**1 c. à table**
• **Farine tout usage**	**425 mL**	**1¾ tasse**
Sucre	**75 mL**	**⅓ tasse**
Poudre à pâte	**10 mL**	**2 c. à thé**
Soda à pâte	**2 mL**	**½ c. à thé**
Sel	**5 mL**	**1 c. à thé**
• **Huile**	**25 mL**	**2 c. à table**
Oeufs battus	**2**	**2**
Jus d'orange non sucré	**200 mL**	**¾ tasse**
Zestes d'orange	**15 mL**	**1 c. à table**

MODE DE PRÉPARATION

- Chauffer le four à 180°C (350°F).

- Mélanger les canneberges et le miel. Laisser reposer ½ heure.

- Mélanger les ingrédients secs.

- Mélanger l'huile, les œufs, le jus d'orange et les zestes.
  Ajouter aux ingrédients secs.
  Mélanger juste assez pour les humecter.
  Incorporer délicatement les canneberges dans la pâte.

- Verser dans un moule à pain graissé.
  Cuire 1 heure.

RENDEMENT : *18 tranches*

TEMPS DE PRÉPARATION : *35 minutes*
TEMPS DE CUISSON : *1 heure*

GUIDE ALIMENTAIRE

LAIT PRODUITS LAITIERS | VIANDE POISSON VOLAILLE | PAINS CÉRÉALES | FRUITS LÉGUMES

RÉGIME AVEC ÉQUIVALENTS

NIL | LAIT 2% M.G. | LÉGUMES | FRUIT | PAIN | VIANDE | GRAS | TENEUR EN GLUCIDES

A
B

16 g

PÂTE À TARTE DE BLÉ ENTIER

INGRÉDIENTS

	Métrique	Impérial
● **Farine de blé entier**	**375 mL**	**1½ tasse**
Sel	**2 mL**	**½ c. à thé**
Poudre à pâte	**2 mL**	**½ c. à thé**
● **Graisse végétale**	**125 mL**	**½ tasse**
● **Eau glacée**	**75 mL**	**⅓ tasse**

RENDEMENT : *2 abaisses*

MODE DE PRÉPARATION

● Mélanger les ingrédients secs.

● Y couper la graisse en petits morceaux.

● Ajouter l'eau graduellement en remuant avec une fourchette pour lier le mélange.
Façonner 2 boules et abaisser.
Déposer l'abaisse dans une assiette à tarte de 23 cm (9 po.) ; piquer à l'aide d'une fourchette.
Cuire à 220°C (425°F) 10 minutes.

TEMPS DE PRÉPARATION : *15 minutes*
TEMPS DE CUISSON : *10 minutes*

Pour 1 abaisse divisée en huit

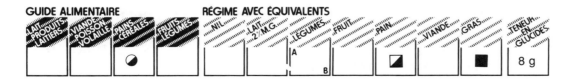

TARTE AUX BANANES

INGRÉDIENTS

	Métrique	Impérial
Croûte		
● **Chapelure de flocons de maïs**	250 mL	1 tasse
Cannelle	2 mL	½ c. à thé
Margarine ou beurre	50 mL	¼ tasse
Garniture au fromage		
● **Gélatine neutre**	1 sachet	1 sachet
Lait 2% M.G.	125 mL	½ tasse
Fromage cottage, égoutté	125 mL	½ tasse
Vanille	6 mL	1¼ c. à thé
Banane	1 petite	1 petite
● **Bananes**	3 petites	3 petites
Jus d'orange non sucré	50 mL	¼ tasse

MODE DE PRÉPARATION

Croûte

● Mélanger la chapelure et la cannelle.
Y couper le gras.
Presser dans une assiette à tarte de 23 cm (9 po.).

Garniture au fromage

● Faire gonfler la gélatine dans le lait.
Chauffer à feu doux, en brassant pour dissoudre.
Mettre dans le récipient du mélangeur le mélange de gélatine et de lait, le fromage cottage, la vanille et la banane.
Réduire en purée.

● Couper 2 bananes en rondelles et déposer sur la croûte.
Y verser la garniture au fromage.
Mettre au réfrigérateur au moins 1 heure.
Couper la dernière banane en rondelles, faire tremper dans le jus d'orange pendant 10 minutes.
Égoutter.
En garnir la tarte juste avant de servir.

RENDEMENT : *8 portions*

TEMPS DE PRÉPARATION : *35 minutes*

GUIDE ALIMENTAIRE

LAIT, PRODUITS LAITIERS	VIANDE, POISSON, VOLAILLE	PAINS, CÉRÉALES	FRUITS, LÉGUMES
		◕	◕

RÉGIME AVEC ÉQUIVALENTS

NIL	LAIT 2% M.G.	LÉGUMES	FRUIT	PAIN	VIANDE	GRAS	TENEUR EN GLUCIDES
		A___ B	■	◨		■	21 g

TARTE AUX BLEUETS

INGRÉDIENTS

	Métrique	Impérial
● **Pâte à tarte de blé entier (voir p. 187)**	1 abaisse	1 abaisse
● **Fécule de maïs**	15 mL	1 c. à table
Sucre	50 mL	3 c. à table
● **Bleuets non sucrés**	750 mL	3 tasses
Eau	50 mL	¼ tasse

RENDEMENT : *8 portions*

MODE DE PRÉPARATION

● Préparer et cuire selon la recette.

Découper les retailles de pâte à l'emporte-pièce (ex. : cœurs, étoiles).
Cuire à 220°C (425°F) 5 minutes.
Garder pour la décoration.

● Mélanger la fécule et le sucre.

● Mettre les bleuets et l'eau dans une casserole.
Ajouter le mélange de fécule et de sucre.
Amener à ébullition et cuire à feu doux, en brassant jusqu'à épaississement.
Laisser tiédir ; verser dans l'abaisse cuite.
Décorer avec les morceaux de pâte cuits.

Laisser refroidir avant de servir.

TEMPS DE PRÉPARATION : *10 minutes*
TEMPS DE CUISSON : *25 minutes*

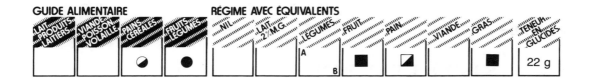

GUIDE ALIMENTAIRE · LAIT PRODUITS LAITIERS · VIANDE POISSON VOLAILLE · PAINS CÉRÉALES · FRUITS LÉGUMES

RÉGIME AVEC ÉQUIVALENTS · NIL · LAIT 2% M.G. · LÉGUMES A B · FRUIT · PAIN · VIANDE · GRAS · TENEUR EN GLUCIDES 22 g

TARTE AUX FRAISES

INGRÉDIENTS

	Métrique	Impérial
• **Pâte à tarte de blé entier** (voir p. 187)	1 abaisse	1 abaisse
• **Fécule de maïs**	30 mL	2 c. à table
Sucre	50 mL	3 c. à table
• **Fraises non sucrées**	1 L	4 tasses
Eau	50 mL	¼ tasse

RENDEMENT : *8 portions*

MODE DE PRÉPARATION

• Préparer et cuire selon la recette.

Découper les retailles de pâte à l'emporte-pièce (ex. : cœurs, étoiles).
Cuire à 220°C (425°F) 5 minutes.
Garder pour la décoration.

• Mélanger la fécule et le sucre.

• Mettre les fraises et l'eau dans une casserole.
Ajouter le mélange de fécule et de sucre.
Amener à ébullition ; cuire à feu doux, en brassant jusqu'à épaississement.
Laisser tiédir ; verser dans l'abaisse cuite.
Décorer avec les morceaux de pâte cuits.

Laisser refroidir avant de servir.

TEMPS DE PRÉPARATION : *10 minutes*
TEMPS DE CUISSON : *25 minutes*

GUIDE ALIMENTAIRE

LAIT PRODUITS LAITIERS	VIANDE POISSON VOLAILLE	PAINS CÉRÉALES	FRUITS LÉGUMES
		◑	●

RÉGIME AVEC ÉQUIVALENTS

NIL	LAIT 2% M.G.	LÉGUMES	FRUIT	PAIN	VIANDE	GRAS	TENEUR EN GLUCIDES
		A B	■	◪		■	22 g

TARTE AUX POMMES

INGRÉDIENTS

	Métrique	Impérial
• **Pâte à tarte de blé entier (voir p. 187)**	**1 abaisse**	**1 abaisse**
• **Fécule de maïs**	**15 mL**	**1 c. à table**
Sucre	**15 mL**	**1 c. à table**
• **Pommes pelées, tranchées**	**7 moyennes**	**7 moyennes**
Jus de pomme non sucré	**125 mL**	**½ tasse**

RENDEMENT : *8 portions*

MODE DE PRÉPARATION

• Préparer et cuire selon la recette.

Découper les retailles de pâte à l'emporte-pièce (ex. : cœurs, étoiles).
Cuire à 220°C (425°F) 5 minutes.
Garder pour la décoration.

• Mélanger la fécule et le sucre.

• Mettre les pommes et le jus dans une casserole.
Ajouter le mélange de fécule et de sucre.
Amener à ébullition ; cuire à feu doux, en brassant jusqu'à épaississement.
Laisser tiédir ; verser dans l'abaisse cuite.
Décorer avec les morceaux de pâte cuits.

Laisser refroidir avant de servir.

TEMPS DE PRÉPARATION : *15 minutes*
TEMPS DE CUISSON : *25 minutes*

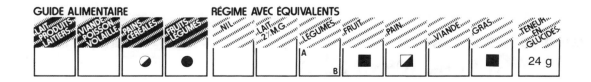

GUIDE ALIMENTAIRE — RÉGIME AVEC ÉQUIVALENTS

LAIT PRODUITS LAITIERS / VIANDE POISSON VOLAILLE / PAINS CÉRÉALES / FRUITS LÉGUMES / NIL / LAIT 2% M.G. / LÉGUMES / FRUIT / PAIN / VIANDE / GRAS / TENEUR EN GLUCIDES : 24 g

TARTE ENSOLEILLÉE

INGRÉDIENTS	Métrique	Impérial
• **Pâte à tarte de blé entier (voir p. 187)**	**1 abaisse**	**1 abaisse**
• **Abricots en conserve dans un sirop léger**	**1 boîte de 398 mL**	**1 boîte de 14 onces**
Poires non sucrées en conserve	**2 boîtes de 796 mL**	**2 boîtes de 28 onces**
Liquide des abricots en conserve	**50 mL**	**¼ tasse**
Liquide des poires en conserve	**50 mL**	**¼ tasse**
• **Fécule de maïs**	**30 mL**	**2 c. à table**
Eau froide	**25 mL**	**2 c. à table**

MODE DE PRÉPARATION

• Préparer et cuire selon la recette.

• Mettre de côté 9 moitiés d'abricots.
  Mélanger le reste des abricots, les poires et le liquide des fruits en conserve.
  Amener à ébullition à feu moyen.

• Ajouter la fécule délayée dans l'eau.
  Brasser constamment jusqu'à épaississement.
  Laisser tiédir.
  Verser ce mélange dans l'abaisse cuite.
  Décorer avec les 9 moitiés d'abricots (partie bombée vers le haut).

  Laisser refroidir avant de servir.

RENDEMENT : *8 portions*

TEMPS DE PRÉPARATION : *15 minutes*
TEMPS DE CUISSON : *25 minutes*

GUIDE ALIMENTAIRE				RÉGIME AVEC ÉQUIVALENTS							
LAIT, PRODUITS LAITIERS	VIANDE, POISSON, VOLAILLE	PAINS, CÉRÉALES	FRUITS, LÉGUMES	NIL	LAIT 2% M.G.	LÉGUMES	FRUIT	PAIN	VIANDE	GRAS	TENEUR EN GLUCIDES
		◖	●			A B	■	■		■	30 g

ACCOMPAGNEMENTS

BISCOTTES DE BLÉ ENTIER

INGRÉDIENTS	Métrique	Impérial
• **Farine de blé entier**	**500 mL**	**2 tasses**
Poudre à pâte	**15 mL**	**1 c. à table**
Sel	**5 mL**	**1 c. à thé**
• **Huile**	**75 mL**	**⅓ tasse**
Lait 2% M.G.	**150 mL**	**⅔ tasse**

Variante : aux graines de sésame

Graines de sésame	**25 mL**	**2 c. à table**

MODE DE PRÉPARATION

- Chauffer le four à 230°C (450°F).
  Placer la grille au haut du four.

- Mélanger les ingrédients secs.

- Ajouter l'huile et le lait.
  Mélanger avec une fourchette jusqu'à ce que la pâte forme une boule.
  Abaisser la pâte à 3 mm (⅛ po.) d'épaisseur.
  À l'aide d'un emporte-pièce, découper 48 biscottes.
  Déposer sur une plaque non graissée.
  Cuire environ 4 minutes de chaque côté.

- Ajouter les graines de sésame aux ingrédients secs.
  Diminuer la quantité d'huile à 50 mL (¼ tasse).

RENDEMENT : *12 portions de 4 biscuits*

TEMPS DE PRÉPARATION : *20 minutes*
TEMPS DE CUISSON : *10 minutes*

GUIDE ALIMENTAIRE

LAIT PRODUITS LAITIERS	VIANDE POISSON VOLAILLE	PAINS CÉRÉALES	FRUITS LÉGUMES
		●	

RÉGIME AVEC ÉQUIVALENTS

NIL	LAIT 2% M.G.	LÉGUMES	FRUIT	PAIN	VIANDE	GRAS	TENEUR EN GLUCIDES
		A B		■		■	15 g

PAIN AU FROMAGE

INGRÉDIENTS

	Métrique	Impérial
Farine tout usage	500 mL	**2 tasses**
Poudre à pâte	20 mL	**4 c. à thé**
Sel d'oignon	2 mL	**½ c. à thé**
Origan	2 mL	**½ c. à thé**
Moutarde sèche	1 mL	**¼ c. à thé**
Fromage cheddar fort, râpé	175 mL	**¾ tasse**
Fromage au lait écrémé, râpé	125 mL	**½ tasse**
Oeuf battu	1	1
Lait 2% M.G.	250 mL	**1 tasse**
Huile	15 mL	**1 c. à table**

RENDEMENT : *12 tranches*

MODE DE PRÉPARATION

- Chauffer le four à 180°C (350°F).
- Mélanger les 7 premiers ingrédients dans un grand bol.
- Mélanger l'œuf, le lait et l'huile. Ajouter, en une seule fois, aux ingrédients secs puis brasser juste assez pour les humecter. Verser la pâte dans un moule à pain graissé. Cuire 45 minutes.

TEMPS DE PRÉPARATION : *25 minutes*
TEMPS DE CUISSON : *45 minutes*

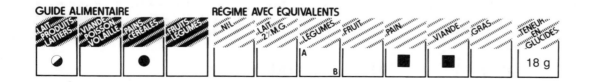

GUIDE ALIMENTAIRE: LAIT ET PRODUITS LAITIERS, VIANDE VOLAILLE POISSON, PAIN ET CÉRÉALES, FRUITS ET LÉGUMES

RÉGIME AVEC ÉQUIVALENTS: NIL, LAIT 2% M.G., LÉGUMES, FRUIT, PAIN, VIANDE, GRAS, TENEUR EN GLUCIDES 18 g

TREMPETTE À L'AVOCAT

INGRÉDIENTS

	Métrique	Impérial
• Sauce à salade (genre mayonnaise)	125 mL	½ tasse
Avocats pelés, coupés en cubes	2 moyens	2 moyens
Jus de lime	50 mL	3 c. à table
Oignon émincé	1 moyen	1 moyen
Ail émincé	1 gousse	1 gousse
Poivre rouge moulu	1 pincée	1 pincée
Sel	5 mL	1 c. à thé
Poivre	0,5 mL	⅛ c. à thé
Purée de tomates	25 mL	2 c. à table
Poudre de chili	5 mL	1 c. à thé
Persil frais haché	50 mL	¼ tasse

RENDEMENT : *25 portions de 25 mL (2 c. à table)*

MODE DE PRÉPARATION

• Passer tous les ingrédients au mélangeur jusqu'à consistance onctueuse.
Réfrigérer.

Servir avec des crudités, des craquelins ou autres.

TEMPS DE PRÉPARATION : *25 minutes*

TREMPETTE AUX CREVETTES

INGRÉDIENTS

	Métrique	Impérial
• Sauce à salade (genre mayonnaise)	125 mL	½ tasse
Céleri haché	50 mL	¼ tasse
Oignon haché	15 mL	1 c. à table
Jus de citron	25 mL	2 c. à table
Raifort	5 mL	1 c. à thé
Sel	1 mL	¼ c. à thé
Tabasco	4 gouttes	4 gouttes
• Crevettes cuites, hachées	250 mL	1 tasse

MODE DE PRÉPARATION

• Passer tous les ingrédients au mélangeur jusqu'à l'obtention d'une texture homogène. Réfrigérer.

• Ajouter les crevettes ; bien brasser. Réfrigérer.

Servir avec des crudités, des craquelins ou autres.

RENDEMENT : *15 portions de 25 mL (2 c. à table)*

TEMPS DE PRÉPARATION : *15 minutes*

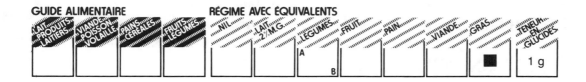

197

TREMPETTE AUX OIGNONS VERTS

INGRÉDIENTS

	Métrique	Impérial
• **Fromage cottage**	**250 mL**	**1 tasse**
Oignons verts hachés	**25 mL**	**2 c. à table**
Sel	**1 mL**	**¼ c. à thé**
Poivre	**1 pincée**	**1 pincée**
Tabasco	**4 gouttes**	**4 gouttes**
Graines d'aneth	**0,5 mL**	**⅛ c. à thé**
(facultatif)		

RENDEMENT : *16 portions de 15 mL (1 c. à table)*

MODE DE PRÉPARATION

• Passer tous les ingrédients au mélangeur jusqu'à l'obtention d'une texture homogène. Réfrigérer.

Servir avec des crudités, des craquelins ou autres.

TEMPS DE PRÉPARATION : *10 minutes*

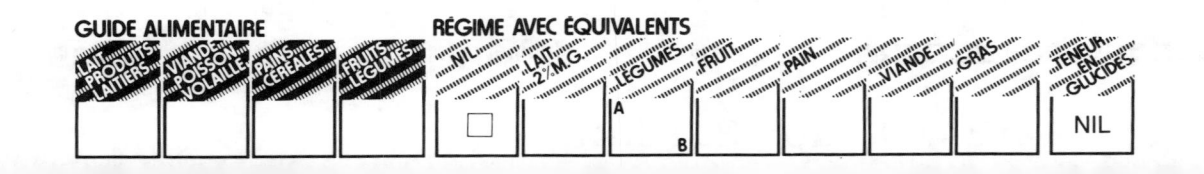

GUIDE ALIMENTAIRE — LAIT ET PRODUITS LAITIERS — VIANDE, POISSON, VOLAILLE — PAINS ET CÉRÉALES — FRUITS ET LÉGUMES

RÉGIME AVEC ÉQUIVALENTS — NIL — LAIT 2% M.G. — LÉGUMES — FRUIT — PAIN — VIANDE — GRAS — TENEUR EN GLUCIDES — NIL

TREMPETTE AUX TOMATES

INGRÉDIENTS

	Métrique	Impérial
• **Fromage cottage**	**250 mL**	**1 tasse**
Jus de tomate	**25 mL**	**2 c. à table**
Oignons verts hachés	**25 mL**	**2 c. à table**
Sel	**4 mL**	**¾ c. à thé**
Poivre	**1 pincée**	**1 pincée**
Sauce chili	**5 mL**	**1 c. à thé**
Poudre de chili **(facultatif)**	**1 pincée**	**1 pincée**
Poudre de cari **(facultatif)**	**1 pincée**	**1 pincée**

MODE DE PRÉPARATION

• Passer tous les ingrédients au mélangeur jusqu'à l'obtention d'une texture homogène. Réfrigérer.

Servir avec des crudités, des craquelins ou autres.

RENDEMENT : *16 portions de 15 mL (1 c. à table)*

TEMPS DE PRÉPARATION : *10 minutes*

GUIDE ALIMENTAIRE				RÉGIME AVEC ÉQUIVALENTS								
LAIT, PRODUITS LAITIERS	VIANDE, POISSON, VOLAILLE	PAINS, CÉRÉALES	FRUITS, LÉGUMES	NIL	LAIT 2% M.G.	LÉGUMES	FRUIT	PAIN	VIANDE	GRAS	TENEUR EN GLUCIDES	
				☐		A B					1 g	

VINAIGRETTE CRÉMEUSE AU YOGOURT

INGRÉDIENTS

	Métrique	Impérial
• **Sel**	**1 mL**	**¼ c. à thé**
Moutarde de Dijon	**2 mL**	**½ c. à thé**
Poivre	**1 mL**	**¼ c. à thé**
Vinaigre de vin	**50 mL**	**3 c. à table**
Huile	**125 mL**	**½ tasse**
Yogourt nature	**175 mL**	**¾ tasse**

RENDEMENT : *24 portions de 15 mL (1 c. à table)*

MODE DE PRÉPARATION

• Mélanger tous les ingrédients ; fouetter. Réfrigérer.

Agiter avant de servir.

TEMPS DE PRÉPARATION : *10 minutes*

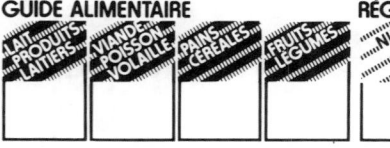

VINAIGRETTE EXOTIQUE

INGRÉDIENTS

	Métrique	Impérial
• **Huile**	**75 mL**	**⅓ tasse**
Jus d'orange non sucré	**50 mL**	**¼ tasse**
Moutarde de Dijon	**10 mL**	**2 c. à thé**
Zestes d'orange	**5 mL**	**1 c. à thé**
Ail haché	**1 gousse**	**1 gousse**
Estragon	**2 mL**	**½ c. à thé**

RENDEMENT : *15 portions de 10 mL (2 c. à thé)*

MODE DE PRÉPARATION

• Mélanger tous les ingrédients dans un bocal. Couvrir ; agiter vigoureusement. Réfrigérer.

Agiter avant de servir.

TEMPS DE PRÉPARATION : *10 minutes*

VINAIGRETTE PIQUANTE

INGRÉDIENTS

	Métrique	Impérial
● Jus de tomate	200 mL	¾ tasse
Vinaigre de vin	50 mL	¼ tasse
Oignon haché	50 mL	¼ tasse
Persil frais haché	10 mL	2 c. à thé
Moutarde de Dijon	2 mL	½ c. à thé
Sel	au goût	au goût
Poivre	au goût	au goût

MODE DE PRÉPARATION

● Mélanger tous les ingrédients dans un bocal. Couvrir ; agiter vigoureusement. Réfrigérer.

Agiter avant de servir.

RENDEMENT : *16 portions de 15 mL (1 c. à table)*

TEMPS DE PRÉPARATION : *10 minutes*

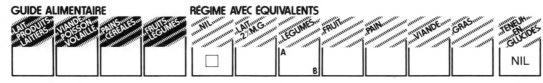

GUIDE ALIMENTAIRE — LAIT, PRODUITS LAITIERS / VIANDE, POISSON, VOLAILLE / PAINS, CÉRÉALES / FRUITS, LÉGUMES

RÉGIME AVEC ÉQUIVALENTS — NIL / LAIT 2% M.G. / LÉGUMES A B / FRUIT / PAIN / VIANDE / GRAS / TENEUR EN GLUCIDES : NIL

VINAIGRETTE RUBIS

INGRÉDIENTS

	Métrique	Impérial
• **Sel**	**1 mL**	**¼ c. à thé**
Moutarde de Dijon	**1 mL**	**¼ c. à thé**
Poivre	**1 pincée**	**1 pincée**
Vinaigre de vin	**25 mL**	**2 c. à table**
Huile	**125 mL**	**½ tasse**
Betterave hachée	**25 mL**	**2 c. à table**
Persil frais haché	**15 mL**	**1 c. à table**
Ciboulette fraîche, hachée	**15 mL**	**1 c. à table**

Variante : au fromage

Fromage cheddar râpé finement	**15 mL**	**1 c. à table**

RENDEMENT : *24 portions de 10 mL (2 c. à thé)*

MODE DE PRÉPARATION

• Mélanger tous les ingrédients dans un bocal. Couvrir ; agiter vigoureusement. Réfrigérer.

Agiter avant de servir.

• Ajouter aux autres ingrédients.

TEMPS DE PRÉPARATION : *15 minutes*

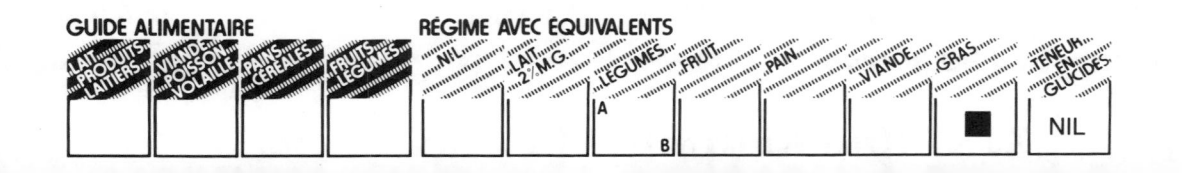

GUIDE ALIMENTAIRE — LAIT PRODUITS LAITIERS — VIANDE POISSON VOLAILLE — PAINS CÉRÉALES — FRUITS LÉGUMES

RÉGIME AVEC ÉQUIVALENTS — NIL — LAIT 2/M.G. — LÉGUMES — FRUIT — PAIN — VIANDE — GRAS — TENEUR EN GLUCIDES

A — B — NIL

VINAIGRETTE RUSSE

INGRÉDIENTS

	Métrique	Impérial
• Crème de tomate en conserve, non diluée	250 mL	1 tasse
Vinaigre blanc	50 mL	¼ tasse
Huile	125 mL	½ tasse
Ail haché	1 gousse	1 gousse
Oignon haché	25 mL	2 c. à table
Moutarde sèche	2 mL	½ c. à thé
Sel	2 mL	½ c. à thé
Sauce anglaise (genre Worcestershire)	2 mL	½ c. à thé
Paprika	2 mL	½ c. à thé
Yogourt nature	50 mL	¼ tasse

RENDEMENT : *28 portions de 15 mL (1 c. à table)*

MODE DE PRÉPARATION

• Mélanger tous les ingrédients dans un bocal. Couvrir ; agiter vigoureusement. Réfrigérer.

Agiter avant de servir.

TEMPS DE PRÉPARATION : *10 minutes*

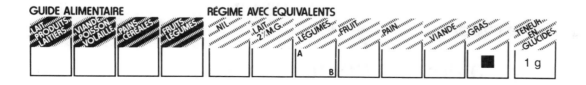

GUIDE ALIMENTAIRE — LAIT ET PRODUITS LAITIERS — VIANDE, POISSON, VOLAILLE — PAINS ET CÉRÉALES — FRUITS ET LÉGUMES

RÉGIME AVEC ÉQUIVALENTS — NIL — LAIT 2% M.G. — LÉGUMES A — FRUIT B — PAIN — VIANDE — GRAS ■ — TENEUR EN GLUCIDES 1 g

VINAIGRETTE TROPICALE

INGRÉDIENTS

	Métrique	Impérial
● Huile	200 mL	¾ tasse
Jus de citron	10 mL	2 c. à thé
Jus d'orange non sucré	125 mL	½ tasse
Vinaigre	25 mL	2 c. à table
Paprika	5 mL	1 c. à thé
Poudre d'oignon	1 mL	¼ c. à thé
Sel	2 mL	½ c. à thé

RENDEMENT : *24 portions de 15 mL (1 c. à table)*

MODE DE PRÉPARATION

● Mélanger tous les ingrédients dans un bocal. Couvrir ; agiter vigoureusement. Réfrigérer.

Agiter avant de servir.

TEMPS DE PRÉPARATION : *10 minutes*

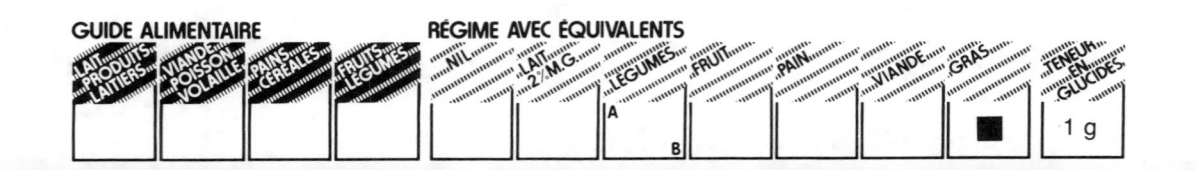

GUIDE ALIMENTAIRE — PRODUITS LAITIERS, VIANDE POISSON VOLAILLE, PAINS CÉRÉALES, FRUITS LÉGUMES

RÉGIME AVEC ÉQUIVALENTS — NIL, LAIT 2% M.G., LÉGUMES A B, FRUIT, PAIN, VIANDE, GRAS ■, TENEUR EN GLUCIDES 1 g

GLAÇAGE AU CHOCOLAT

INGRÉDIENTS

	Métrique	Impérial
• Lait 2% M.G.	125 mL	½ tasse
• Jaune d'œuf	1	1
• Fécule de maïs	7 mL	1½ c. à thé
Cacao	5 mL	1 c. à thé
Sucre	10 mL	2 c. à thé
Eau froide	50 mL	¼ tasse
• Vanille	1 mL	¼ c. à thé

RENDEMENT : *125 mL (½ tasse)*
suffisant pour glacer un gâteau rond de 20 cm (8 po.).

MODE DE PRÉPARATION

• Chauffer le lait dans un bain-marie.

• Réchauffer le jaune d'œuf graduellement avec du lait chaud.
Ajouter ce mélange au reste du lait chaud.
Cuire 1 minute.

• Mélanger la fécule, le cacao, le sucre et l'eau.
Ajouter au mélange de lait et cuire jusqu'à épaississement.
Retirer du feu.

• Ajouter la vanille.
Laisser refroidir avant d'utiliser.

TEMPS DE PRÉPARATION : *10 minutes*
TEMPS DE CUISSON : *5 minutes*

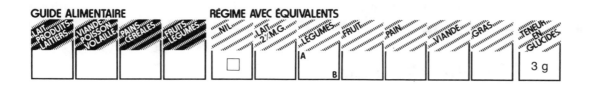

GUIDE ALIMENTAIRE — LAIT PRODUITS LAITIERS — VIANDE POISSON VOLAILLE — PAINS CÉRÉALES — FRUITS LÉGUMES

RÉGIME AVEC ÉQUIVALENTS — NIL — LAIT 2% M.G. — LÉGUMES A B — FRUIT — PAIN — VIANDE — GRAS — TENEUR EN GLUCIDES 3 g

SAUCE AUX CHAMPIGNONS

INGRÉDIENTS

	Métrique	Impérial
● **Eau**	**25 mL**	**2 c. à table**
Jus de citron	**5 mL**	**1 c. à thé**
Champignons émincés	**150 mL**	**⅔ tasse**
● **Lait 2% M.G.**	**250 mL**	**1 tasse**
Oignon haché finement	**15 mL**	**1 c. à table**
Fécule de maïs	**15 mL**	**1 c. à table**
Lait 2% M.G.	**75 mL**	**⅓ tasse**
Sel	**1 mL**	**¼ c. à thé**
Poivre blanc	**0,5 mL**	**⅛ c. à thé**

RENDEMENT : *4 portions de 75 mL (⅓ tasse)*

MODE DE PRÉPARATION

● Mettre l'eau, le jus de citron et les champignons dans un poêlon ; laisser mijoter 3 minutes. Égoutter les champignons.

● Amener à ébullition 250 mL (1 tasse) de lait et l'oignon, en brassant constamment.
Ajouter la fécule délayée dans 75 mL (⅓ tasse) de lait froid.
Cuire à feu doux en brassant jusqu'à épaississement (10 minutes).
Ajouter les champignons.
Assaisonner.

TEMPS DE PRÉPARATION : *15 minutes*
TEMPS DE CUISSON : *15 minutes*

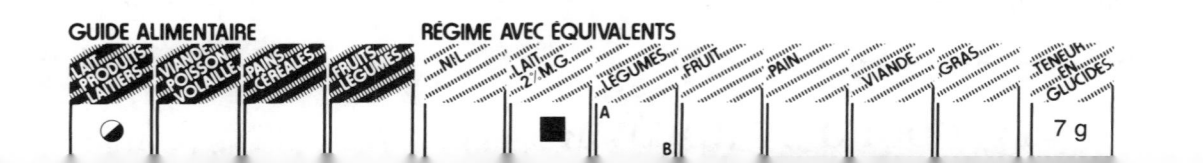

GUIDE ALIMENTAIRE — LAIT PRODUITS LAITIERS — VIANDE POISSON VOLAILLE — PAINS CÉRÉALES — FRUITS LÉGUMES

RÉGIME AVEC ÉQUIVALENTS — N.H. — LAIT 2% M.G. — LÉGUMES — FRUIT — PAIN — VIANDE — GRAS — TENEUR EN GLUCIDES

A   B   7 g

SAUCE AUX LÉGUMES VERTS

INGRÉDIENTS

	Métrique	Impérial
• Lait 2% M.G.	250 mL	1 tasse
• Fécule de maïs	10 mL	2 c. à thé
Eau froide	25 mL	2 c. à table
• Champignons tranchés	175 mL	¾ tasse
Poivron vert haché	50 mL	¼ tasse
Laitue émincée	50 mL	¼ tasse
Sel	1 mL	¼ c. à thé

RENDEMENT : *4 portions de 50 mL (¼ tasse)*

MODE DE PRÉPARATION

• Chauffer le lait dans un bain-marie.

• Ajouter la fécule délayée dans l'eau.
Cuire en brassant jusqu'à épaississement.

• Ajouter les légumes ; poursuivre la cuisson 10 minutes.
Assaisonner.

Servir avec le pâté d'aiglefin ou autre mets principal.

TEMPS DE PRÉPARATION : *15 minutes*
TEMPS DE CUISSON : *20 minutes*

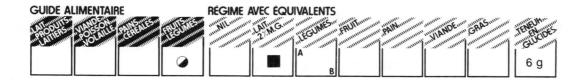

GUIDE ALIMENTAIRE — LAIT ET PRODUITS LAITIERS — VIANDE, POISSON, VOLAILLE — PAINS ET CÉRÉALES — FRUITS ET LÉGUMES

RÉGIME AVEC ÉQUIVALENTS — NIL — LAIT 2% M.G. — LÉGUMES A B — FRUIT — PAIN — VIANDE — GRAS — TENEUR EN GLUCIDES 6 g

SAUCE AUX POMMES ET À LA MENTHE

INGRÉDIENTS

	Métrique	Impérial
• Pommes non pelées, coupées en quartiers	4 moyennes	4 moyennes
Eau	50 mL	¼ tasse
• Menthe séchée	1 mL	¼ c. à thé

RENDEMENT : *4 portions de 50 mL (¼ tasse)*

MODE DE PRÉPARATION

- Mettre les pommes et l'eau dans une casserole. Couvrir et cuire à feu moyen (15 minutes). Passer au tamis pour extraire la pulpe.

- Ajouter la menthe.

  Servir avec le pain d'agneau.

TEMPS DE PRÉPARATION : *15 minutes*
TEMPS DE CUISSON : *15 minutes*

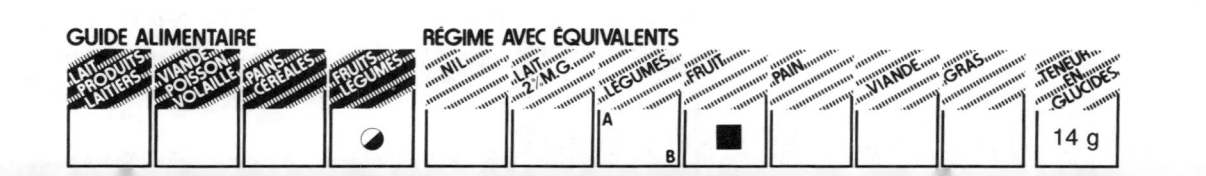

SAUCE BARBECUE

INGRÉDIENTS

	Métrique	Impérial
• **Jus de tomate**	**250 mL**	**1 tasse**
Concentré de bœuf liquide	**25 mL**	**2 c. à table**
Vinaigre	**5 mL**	**1 c. à thé**
Ail	**1 gousse**	**1 gousse**
Moutarde sèche	**1 pincée**	**1 pincée**
Feuilles de céleri hachées	**15 mL**	**1 c. à table**
Paprika	**au goût**	**au goût**
Laurier	**1 feuille**	**1 feuille**
Oignon haché	**25 mL**	**2 c. à table**
Poivron vert haché	**50 mL**	**¼ tasse**
• **Fécule de maïs**	**10 mL**	**2 c. à thé**
Eau froide	**15 mL**	**1 c. à table**

RENDEMENT : *8 portions de 25 mL (2 c. à table)*

MODE DE PRÉPARATION

- Mélanger les 10 premiers ingrédients. Amener à ébullition et laisser mijoter 3 minutes. Couler.

- Ajouter la fécule délayée dans l'eau. Cuire à feu doux en brassant jusqu'à épaississement.

TEMPS DE PRÉPARATION : *10 minutes*
TEMPS DE CUISSON : *10 minutes*

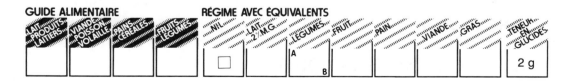

SAUCE BÉCHAMEL AU BLÉ ENTIER

INGRÉDIENTS

	Métrique	Impérial
● **Margarine ou beurre**	**25 mL**	**2 c. à table**
Eau	**25 mL**	**2 c. à table**
Farine de blé entier	**50 mL**	**¼ tasse**
● **Lait 2% M.G.**	**500 mL**	**2 tasses**
Sel	**au goût**	**au goût**
Poivre	**au goût**	**au goût**
Fines herbes (facultatif)	**au goût**	**au goût**

RENDEMENT : *8 portions de 50 mL (¼ tasse)*

MODE DE PRÉPARATION

● Faire fondre le gras dans un poêlon.
Ajouter l'eau, puis la farine.
Cuire à feu moyen 1 minute.

● Ajouter le lait graduellement.
Cuire en brassant jusqu'à épaississement
(10 minutes).
Assaisonner.

TEMPS DE PRÉPARATION : *5 minutes*
TEMPS DE CUISSON : *15 minutes*

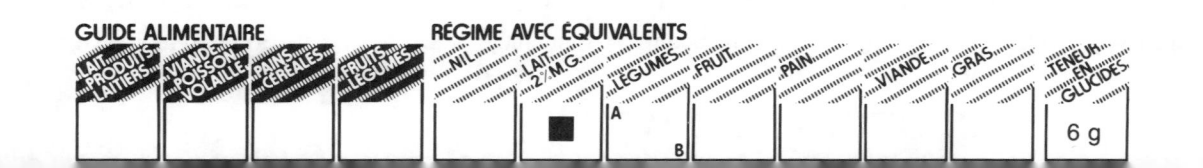

GUIDE ALIMENTAIRE — LAIT ET PRODUITS LAITIERS — VIANDE, POISSON, VOLAILLE — PAINS ET CÉRÉALES — FRUITS ET LÉGUMES

RÉGIME AVEC ÉQUIVALENTS — NIL — LAIT 2% M.G. — LÉGUMES — FRUIT — PAIN — VIANDE — GRAS — TENEUR EN GLUCIDES

A B 6 g

SAUCE BRUNE

INGRÉDIENTS

	Métrique	Impérial
• **Bouillon de bœuf dégraissé**	**250 mL**	**1 tasse**
• **Fécule de maïs**	**10 mL**	**2 c. à thé**
Eau froide	**15 mL**	**1 c. à table**
Sel	**1 pincée**	**1 pincée**
Muscade	**au goût**	**au goût**
Cerfeuil	**au goût**	**au goût**

RENDEMENT : *8 portions de 25 mL (2 c. à table)*

MODE DE PRÉPARATION

• Amener le bouillon à ébullition.

• Ajouter la fécule délayée dans l'eau.
Cuire à feu doux en brassant jusqu'à épaississement.
Retirer du feu.
Assaisonner.

TEMPS DE PRÉPARATION : *5 minutes*
TEMPS DE CUISSON : *5 minutes*

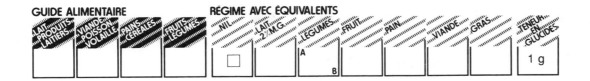

GUIDE ALIMENTAIRE

LAIT PRODUITS LAITIERS	VIANDE POISSON VOLAILLE	PAINS CÉRÉALES	FRUITS LÉGUMES

RÉGIME AVEC ÉQUIVALENTS

NIL	LAIT 2% M.G.	LÉGUMES	FRUIT	PAIN	VIANDE	GRAS	TENEUR EN GLUCIDES
☐		A B					1 g

SAUCE FRUITÉE

INGRÉDIENTS

	Métrique	Impérial
• Fécule de maïs	7 mL	1½ c. à thé
Jus d'ananas non sucré	125 mL	½ tasse
Jus d'orange non sucré	125 mL	½ tasse
Zestes d'orange	5 mL	1 c. à thé

RENDEMENT : *4 portions de 25 mL (2 c. à table)*

MODE DE PRÉPARATION

• Mélanger tous les ingrédients.
  Cuire à feu moyen en brassant jusqu'à épaississement.

Servir avec du yogourt nature.

TEMPS DE PRÉPARATION : *5 minutes*
TEMPS DE CUISSON : *10 minutes*

GUIDE ALIMENTAIRE

LAIT PRODUITS LAITIERS | VIANDE POISSON VOLAILLE | PAINS CÉRÉALES | FRUITS LÉGUMES

RÉGIME AVEC ÉQUIVALENTS

NIL | LAIT 2% M.G. | LÉGUMES | FRUIT | PAIN | VIANDE | GRAS | TENEUR EN GLUCIDES

9 g

SAUCE MYSTÈRE

INGRÉDIENTS

	Métrique	Impérial
• Yogourt nature	250 mL	1 tasse
Graines de tournesol non salées, grillées	25 mL	2 c. à table
Graines de sésame grillées	25 mL	2 c. à table
Fruits séchés, hachés (dattes, figues, raisins, etc.)	25 mL	2 c. à table

Variante : à l'amande

Amandes effilées grillées	**25 mL**	**2 c. à table**
Noix de coco non sucrée, grillée	**25 mL**	**2 c. à table**

RENDEMENT : *4 portions de 50 mL (¼ tasse)*

MODE DE PRÉPARATION

• Mélanger tous les ingrédients.
  Mettre au réfrigérateur au moins 30 minutes.

Servir sur des desserts aux fruits tels que « douceurs aux pommes » (voir p.145).

• Remplacer les graines de sésame et de tournesol par les amandes et la noix de coco. Conserver au réfrigérateur.

TEMPS DE PRÉPARATION : *5 minutes*

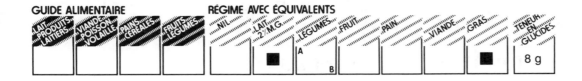

GUIDE ALIMENTAIRE				RÉGIME AVEC ÉQUIVALENTS							
LAIT PRODUITS LAITIERS	VIANDE POISSON VOLAILLE	PAINS CÉRÉALES	FRUITS LÉGUMES	NIL	LAIT 2% M.G.	LÉGUMES	FRUIT	PAIN	VIANDE	GRAS	TENEUR EN GLUCIDES
					■	A B				■	8 g

SAUCE PIQUANTE AU YOGOURT

INGRÉDIENTS	Métrique	Impérial
• Yogourt nature	175 mL	¾ tasse
Sauce à salade (genre mayonnaise)	25 mL	2 c. à table
Relish	10 mL	2 c. à thé
Poudre de céleri	1 mL	¼ c. à thé
Oignon vert haché	25 mL	2 c. à table
Poivre blanc	1 pincée	1 pincée
Jus de citron	2 mL	½ c. à thé

MODE DE PRÉPARATION

• Mélanger tous les ingrédients. Réfrigérer.

Servir avec de la laitue, des crudités, des salades froides de viande ou de poisson, etc.

RENDEMENT : *8 portions de 25 mL (2 c. à table)*

TEMPS DE PRÉPARATION : *15 minutes*

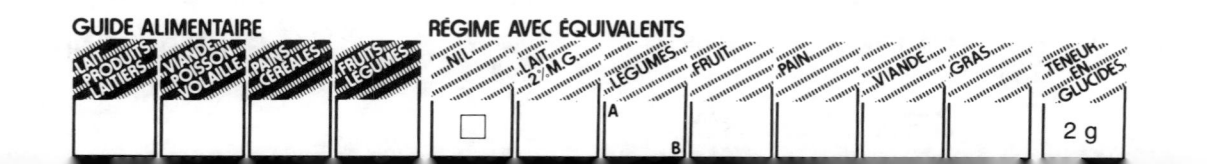

GUIDE ALIMENTAIRE

LAIT PRODUITS LAITIERS — VIANDE POISSON VOLAILLE — PAINS CÉRÉALES — FRUITS LÉGUMES

RÉGIME AVEC ÉQUIVALENTS

NIL — LAIT 2% M.G. — LÉGUMES — FRUIT — PAIN — VIANDE — GRAS — TENEUR EN GLUCIDES

A — B — 2 g

SAUCE TOMATE

INGRÉDIENTS

	Métrique	Impérial
• **Jus de tomate**	**750 mL**	**3 tasses**
Moutarde sèche	**2 mL**	**½ c. à thé**
Poudre de chili	**1 mL**	**¼ c. à thé**
Sel	**2 mL**	**½ c. à thé**
Poivre	**1 pincée**	**1 pincée**
Vinaigre	**50 mL**	**3 c. à table**
Poudre ou sel d'oignon	**2 mL**	**½ c. à thé**

RENDEMENT : *12 portions de 25 mL (2 c. à table)*

MODE DE PRÉPARATION

• Mélanger tous les ingrédients.
Cuire à découvert à feu moyen 20 minutes.

Servir avec le « pain de légumineuses » ou autre mets principal.

TEMPS DE PRÉPARATION : *10 minutes*
TEMPS DE CUISSON : *20 minutes*

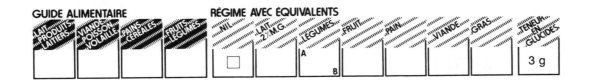

GUIDE ALIMENTAIRE — LAIT PRODUITS LAITIERS / VIANDE POISSON VOLAILLE / PAINS CÉRÉALES / FRUITS LÉGUMES

RÉGIME AVEC ÉQUIVALENTS — NIL / LAIT 2% M.G. / LÉGUMES A B / FRUIT / PAIN / VIANDE / GRAS / TENEUR EN GLUCIDES 3 g

INGRÉDIENTS

	Métrique	Impérial
• **Jus d'ananas non sucré**	**300 mL**	**1¼ tasse**
Abricots séchés, hachés	**125 mL**	**½ tasse**
Eau	**125 mL**	**½ tasse**
• **Gélatine neutre**	**7 mL**	**1½ c. à thé**
Eau froide	**25 mL**	**2 c. à table**

RENDEMENT : *30 portions de 10 mL (2 c. à thé)*

MODE DE PRÉPARATION

- Mélanger le jus, les abricots et l'eau dans une casserole.
  Amener à ébullition.
  Couvrir et cuire à feu doux 15 minutes.
  Couler le mélange et conserver les abricots.

- Faire gonfler la gélatine dans l'eau.
  Mélanger la moitié des abricots, le liquide coulé et la gélatine gonflée.
  Réduire en purée au mélangeur.
  Ajouter le reste des abricots ; mélanger.
  Conserver au réfrigérateur.

  Note : Consommer à l'intérieur d'une période de 10 à 15 jours.

TEMPS DE PRÉPARATION : *10 minutes*
TEMPS DE CUISSON : *15 minutes*

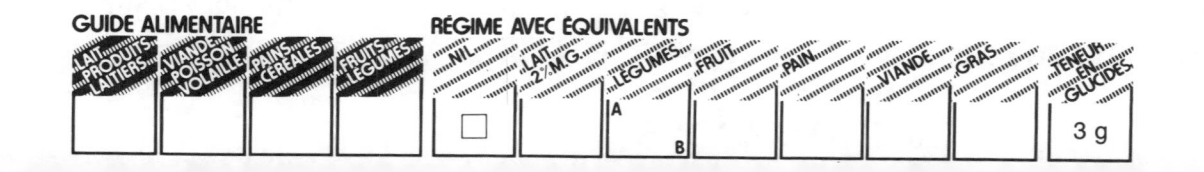

GUIDE ALIMENTAIRE — RÉGIME AVEC ÉQUIVALENTS

LAIT PRODUITS LAITIERS | VIANDE POISSON VOLAILLE | PAINS CÉRÉALES | FRUITS LÉGUMES | NIL | LAIT 2% M.G. | LÉGUMES | FRUIT | PAIN | VIANDE | GRAS | TENEUR EN GLUCIDES

3 g

CONFITURE D'ORANGES ET DE PÊCHES

INGRÉDIENTS

	Métrique	Impérial
● Oranges pelées, en sections	3 moyennes	3 moyennes
Zestes d'orange	15 mL	1 c. à table
Pêches en conserve dans un jus non sucré	1 boîte de 398 mL	1 boîte de 14 onces
Cassonade	50 mL	3 c. à table
● Gélatine neutre	1 sachet	1 sachet
Eau froide	50 mL	¼ tasse

MODE DE PRÉPARATION

● Mélanger les oranges, les zestes, les pêches, leur jus et la cassonade dans une casserole. Amener à ébullition. Couvrir et cuire à feu doux pendant 15 minutes.

● Faire gonfler la gélatine dans l'eau. Ajouter au mélange de fruits. Réduire en purée au mélangeur. Conserver au réfrigérateur.

Note : Consommer à l'intérieur d'une période de 10 à 15 jours.

RENDEMENT : *40 portions de 15 mL (1 c. à table)*

TEMPS DE PRÉPARATION : *10 minutes*
TEMPS DE CUISSON : *15 minutes*

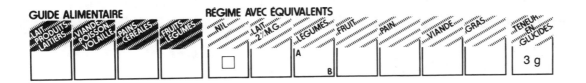

GUIDE ALIMENTAIRE — LAIT ET PRODUITS LAITIERS, VIANDE ET POISSON VOLAILLE, PAINS ET CÉRÉALES, FRUITS ET LÉGUMES

RÉGIME AVEC ÉQUIVALENTS — NIL, LAIT 2% M.G., LÉGUMES, FRUIT, PAIN, VIANDE, GRAS, TENEUR EN GLUCIDES

A   B   3 g

CONFITURE DE FRAISES

INGRÉDIENTS

	Métrique	Impérial
● Fraises congelées, non sucrées	500 mL	2 tasses
Sucre	25 mL	2 c. à table
● Gélatine neutre	10 mL	2 c. à thé
Eau froide	25 mL	2 c. à table

RENDEMENT : *16 portions de 15 mL (1 c. à table)*

MODE DE PRÉPARATION

● Chauffer les fraises et le sucre jusqu'au point d'ébullition.
Couvrir et cuire à feu doux 10 minutes.

● Faire gonfler la gélatine dans l'eau.
Ajouter aux fraises et poursuivre la cuisson 5 minutes.
Conserver au réfrigérateur.

Note : Consommer à l'intérieur d'une période de 10 à 15 jours.

TEMPS DE PRÉPARATION : *5 minutes*
TEMPS DE CUISSON : *15 minutes*

GUIDE ALIMENTAIRE
LAIT PRODUITS LAITIERS — VIANDE POISSON VOLAILLE — PAINS CÉRÉALES — FRUITS LÉGUMES

RÉGIME AVEC ÉQUIVALENTS
NIL — LAIT 2% M.G. — LÉGUMES — FRUIT — PAIN — VIANDE — GRAS — TENEUR EN GLUCIDES
A — B — 3 g

CONFITURE DE POIRES ET D'ANANAS

INGRÉDIENTS

	Métrique	Impérial
• Ananas non sucré, en morceaux	50 mL	¼ tasse
Poires non sucrées, coupées en cubes	250 mL	1 tasse
Carottes râpées	50 mL	¼ tasse
Jus d'orange non sucré	50 mL	¼ tasse
Zestes d'orange	10 mL	2 c. à thé
Jus d'ananas non sucré	125 mL	½ tasse
Sucre	15 mL	1 c. à table
• Gélatine neutre	10 mL	2 c. à thé
Eau froide	25 mL	2 c. à table

MODE DE PRÉPARATION

- Mélanger les 7 premiers ingrédients dans une casserole.
  Amener à ébullition.
  Couvrir et cuire à feu doux 15 minutes.

- Faire gonfler la gélatine dans l'eau.
  Ajouter au mélange de fruits.
  Passer au mélangeur pour réduire les fruits en petits morceaux.
  Conserver au réfrigérateur.

  Note : Consommer à l'intérieur d'une période de 10 à 15 jours.

RENDEMENT : *20 portions de 15 mL (1 c. à table)*

TEMPS DE PRÉPARATION : *10 minutes*
TEMPS DE CUISSON : *15 minutes*

GUIDE ALIMENTAIRE				RÉGIME AVEC ÉQUIVALENTS							
LAIT ET PRODUITS LAITIERS	VIANDE POISSON VOLAILLE	PAINS ET CÉRÉALES	FRUITS ET LÉGUMES	NIL	LAIT 2% M.G.	LÉGUMES	FRUIT	PAIN	VIANDE	GRAS	TENEUR EN GLUCIDES
				☐		A B					3 g

MARMELADE DE BLEUETS

INGRÉDIENTS

	Métrique	Impérial
• Bleuets non sucrés	300 mL	1⅓ tasse
Poire non sucrée,	1 petite	1 petite
coupée en cubes		
Jus d'orange non sucré	25 mL	2 c. à table
Sucre	5 mL	1 c. à thé
• Gélatine neutre	10 mL	2 c. à thé
Eau froide	25 mL	2 c. à table

RENDEMENT : *20 portions de 15 mL (1 c. à table)*

MODE DE PRÉPARATION

• Mélanger les 4 premiers ingrédients dans une casserole.
Amener à ébullition.
Couvrir et cuire à feu doux 15 minutes.

• Faire gonfler la gélatine dans l'eau.
Ajouter au mélange de bleuets.
Réduire en purée au mélangeur.
Conserver au réfrigérateur.

Note : Consommer à l'intérieur d'une période de 10 à 15 jours.

TEMPS DE PRÉPARATION : *10 minutes*
TEMPS DE CUISSON : *15 minutes*

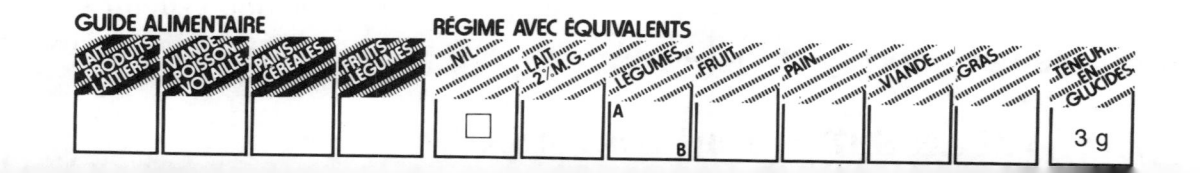

GUIDE ALIMENTAIRE | RÉGIME AVEC ÉQUIVALENTS

LAIT PRODUITS LAITIERS	VIANDE POISSON VOLAILLE	PAINS CÉRÉALES	FRUITS LÉGUMES	NIL	LAIT 2% M.G.	LÉGUMES	FRUIT	PAIN	VIANDE	GRAS	TENEUR EN GLUCIDES
				□		A B					3 g

MARMELADE DE POMMES ET DE PRUNEAUX

INGRÉDIENTS

	Métrique	Impérial
● Jus de pomme non sucré	250 mL	1 tasse
Pommes pelées, tranchées	2 moyennes	2 moyennes
Pruneaux séchés hachés	8	8
● Gélatine neutre	10 mL	2 c. à thé
Eau froide	25 mL	2 c. à table

RENDEMENT : *32 portions de 15 mL (1 c. à table)*

MODE DE PRÉPARATION

● Amener à ébullition le jus, les pommes et les pruneaux.
Couvrir et cuire à feu doux 15 minutes.

● Faire gonfler la gélatine dans l'eau.
Ajouter aux fruits.
Réduire en purée au mélangeur.
Conserver au réfrigérateur.

Note : Consommer à l'intérieur d'une période de 10 à 15 jours.

TEMPS DE PRÉPARATION : *5 minutes*
TEMPS DE CUISSON : *15 minutes*

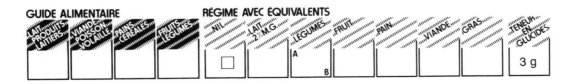

GUIDE ALIMENTAIRE — LAIT PRODUITS LAITIERS — VIANDE POISSON VOLAILLE — PAINS CÉRÉALES — FRUITS LÉGUMES

RÉGIME AVEC ÉQUIVALENTS — NIL — LAIT 2% M.G. — LÉGUMES — FRUIT — PAIN — VIANDE — GRAS — TENEUR EN GLUCIDES

A   B   3 g

BOISSONS

BOISSON D'ÉTÉ

INGRÉDIENTS	Métrique	Impérial
• Cantaloup mûr, coupé en cubes	1 moyen	1 moyen
Bleuets non sucrés	375 mL	1½ tasse
Eau Perrier	1 L	4 tasses

MODE DE PRÉPARATION

• Mettre le cantaloup, les bleuets et 50 mL (¼ tasse) d'eau Perrier dans le récipient du mélangeur.
Réduire en purée.
Ajouter la quantité restante d'eau Perrier ; liquéfier.
Réfrigérer avant de servir.

RENDEMENT : *4 portions de 500 mL (2 tasses)*

TEMPS DE PRÉPARATION : *25 minutes*

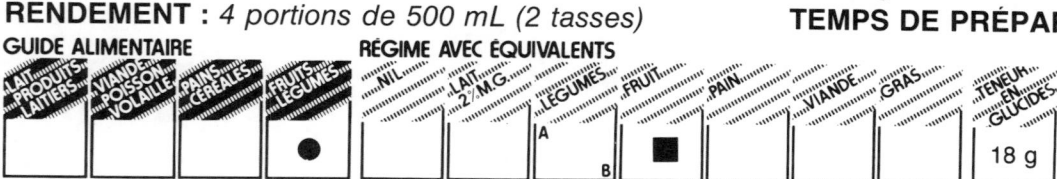

BOISSON TENDRESSE

INGRÉDIENTS	Métrique	Impérial
• Canneberges non sucrées	250 mL	1 tasse
Yogourt nature	375 mL	1½ tasse
Lait 2% M.G.	125 mL	½ tasse
Jus d'orange non sucré, congelé, non dilué	50 mL	¼ tasse
Miel	10 mL	2 c. à thé

MODE DE PRÉPARATION

• Mettre tous les ingrédients dans le récipient du mélangeur ; liquéfier.
Réfrigérer avant de servir.

RENDEMENT : *4 portions de 200 mL (¾ tasse)*

TEMPS DE PRÉPARATION : *15 minutes*

JUS D'ORANGE TROPICAL

INGRÉDIENTS

	Métrique	Impérial
• Bananes tranchées	2 petites	2 petites
Oeufs	2	2
Jus d'orange non sucré	500 mL	2 tasses
Eau	125 mL	½ tasse
Germe de blé (facultatif)	10 mL	2 c. à thé

MODE DE PRÉPARATION

• Mettre tous les ingrédients dans le récipient du mélangeur ; liquéfier.
Réfrigérer avant de servir.

RENDEMENT : *6 portions de 150 mL (⅔ tasse)*

TEMPS DE PRÉPARATION : *10 minutes*

JUS ENSOLEILLÉ

INGRÉDIENTS

	Métrique	Impérial
• Poire non sucrée, pelée, coupée en cubes	1 moyenne	1 moyenne
• Jus d'orange non sucré	375 mL	1½ tasse

MODE DE PRÉPARATION

• Réduire la poire en purée au mélangeur.

• Ajouter le jus d'orange.
Mélanger jusqu'à l'obtention d'une texture homogène.
Refroidir avant de servir.

RENDEMENT : *4 portions de 125 mL (½ tasse)*

TEMPS DE PRÉPARATION : *10 minutes*

JUS LACTÉ

INGRÉDIENTS	Métrique	Impérial
• Pêches non sucrées, pelées, coupées en cubes	500 mL	2 tasses
Banane tranchée	1 moyenne	1 moyenne
• Lait 2% M.G.	500 mL	2 tasses

RENDEMENT : *4 portions de 200 mL (¾ tasse)*

MODE DE PRÉPARATION

- Réduire les pêches et la banane en purée au mélangeur.

- Ajouter le lait ; mélanger. Réfrigérer avant de servir.

TEMPS DE PRÉPARATION : *10 minutes*

GUIDE ALIMENTAIRE — LAIT PRODUITS LAITIERS, VIANDE POISSON VOLAILLE, PAINS CÉRÉALES, FRUITS LÉGUMES

RÉGIME AVEC ÉQUIVALENTS — NIL, LAIT 2% M.G., LÉGUMES, FRUIT, PAIN, VIANDE, GRAS, TENEUR EN GLUCIDES

A, B

22 g

LAIT FRAPPÉ AUX BANANES ET AUX FRAISES

INGRÉDIENTS	Métrique	Impérial
• Bananes tranchées	2 petites	2 petites
Fraises non sucrées	250 mL	1 tasse
Lait 2% M.G.	500 mL	2 tasses
Vanille	2 mL	½ c. à thé

RENDEMENT : *4 portions de 250 mL (1 tasse)*

MODE DE PRÉPARATION

- Mettre tous les ingrédients dans le récipient du mélangeur. Mélanger jusqu'à consistance onctueuse. Réfrigérer avant de servir.

TEMPS DE PRÉPARATION : *5 minutes*

GUIDE ALIMENTAIRE — LAIT PRODUITS LAITIERS, VIANDE POISSON VOLAILLE, PAINS CÉRÉALES, FRUITS LÉGUMES

RÉGIME AVEC ÉQUIVALENTS — NIL, LAIT 2% M.G., LÉGUMES, FRUIT, PAIN, VIANDE, GRAS, TENEUR EN GLUCIDES

A, B

21 g

ROSÉ SANTÉ

INGRÉDIENTS

	Métrique	Impérial
• Canneberges non sucrées	375 mL	1½ tasse
Cassonade	15 mL	1 c. à table
Oeuf	1	1
Jus d'ananas non sucré	200 mL	¾ tasse
Eau	300 mL	1¼ tasse
Vanille	5 mL	1 c. à thé

MODE DE PRÉPARATION

• Mettre tous les ingrédients dans le récipient du mélangeur ; liquéfier.
Couler.
Réfrigérer avant de servir.

RENDEMENT : *4 portions de 200 mL (¾ tasse)*

TEMPS DE PRÉPARATION : *10 minutes*

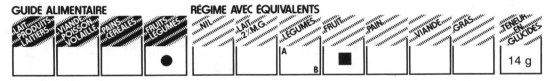

SANTAGRIA

INGRÉDIENTS

	Métrique	Impérial
• Oranges tranchées	2 moyennes	2 moyennes
Poires fraîches, pelées, tranchées	2 moyennes	2 moyennes
Pomme pelée, coupée en cubes	1 moyenne	1 moyenne
Kiwi pelé, tranché	1	1
Jus de raisins non sucré	750 mL	3 tasses
Jus de citron	50 mL	3 c. à table
Eau gazéifiée (genre Club Soda)	750 mL	3 tasses

RENDEMENT : *12 portions de 150 mL (²/₃ tasse)*

MODE DE PRÉPARATION

• Mélanger tous les ingrédients dans un pichet. Réfrigérer plusieurs heures avant de servir.

TEMPS DE PRÉPARATION : *10 minutes*

GUIDE ALIMENTAIRE — LAIT PRODUITS LAITIERS · VIANDE POISSON VOLAILLE · PAINS CÉRÉALES · FRUITS LÉGUMES

RÉGIME AVEC ÉQUIVALENTS — NIL · LAIT 2% M.G. · LÉGUMES · FRUIT · PAIN · VIANDE · GRAS · TENEUR EN GLUCIDES 17 g

COCKTAIL DU JARDIN

INGRÉDIENTS

	Métrique	Impérial
• **Poivron vert**	**1 moyen**	**1 moyen**
Céleri haché	**125 mL**	**½ tasse**
Pommes pelées, coupées	**2 moyennes**	**2 moyennes**
en cubes		
Lait 2% M.G.	**50 mL**	**¼ tasse**
• **Lait 2% M.G.**	**450 mL**	**1¾ tasse**
Yogourt nature	**250 mL**	**1 tasse**
Sel	**1 pincée**	**1 pincée**
Poivre	**1 pincée**	**1 pincée**
• **Menthe séchée**	**1 mL**	**¼ c. à thé**

RENDEMENT : *6 portions de 150 mL (⅔ tasse)*

MODE DE PRÉPARATION

• Mettre le poivron, le céleri, les pommes et 50 mL (¼ tasse) de lait dans le récipient du mélangeur. Réduire en purée.

• Ajouter le lait, le yogourt, le sel et le poivre ; mélanger.
Réfrigérer.

• Garnir de menthe avant de servir.

TEMPS DE PRÉPARATION : *20 minutes*

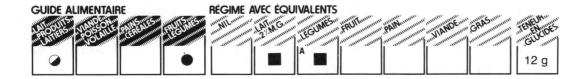

JUS DE TOMATE FRUITÉ

INGRÉDIENTS

	Métrique	Impérial
• Pêche non sucrée, pelée, coupée en cubes	125 mL	½ tasse
Jus de tomate	500 mL	2 tasses
Persil frais haché	25 mL	2 c. à table
Poivre	1 pincée	1 pincée

MODE DE PRÉPARATION

• Mettre tous les ingrédients dans le récipient du mélangeur ; liquéfier.
Réfrigérer avant de servir.

RENDEMENT : *4 portions de 125 mL (½ tasse)*

TEMPS DE PRÉPARATION : *5 minutes*

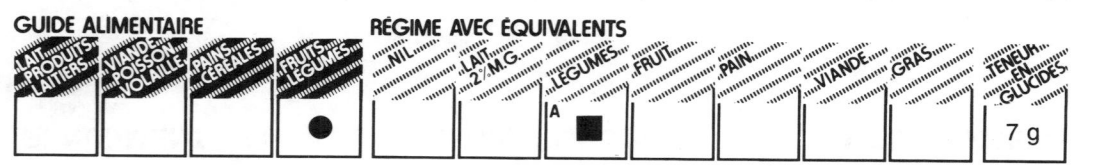

JUS DE TOMATE SURPRISE

INGRÉDIENTS

	Métrique	Impérial
• Jus d'ananas non sucré	500 mL	2 tasses
Jus de tomate	1 L	4 tasses
Poivre	1 pincée	1 pincée
Sel	1 pincée	1 pincée

MODE DE PRÉPARATION

• Mélanger tous les ingrédients.
Réfrigérer avant de servir.

RENDEMENT : *8 portions de 200 mL (¾ tasse)*

TEMPS DE PRÉPARATION : *5 minutes*

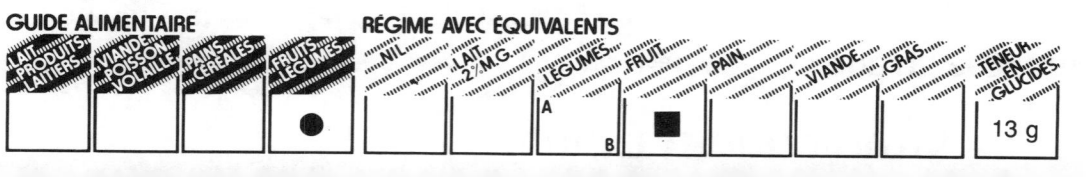

MENUS

L'agencement de recettes proposées dans ce volume permet de créer, en toutes occasions, des menus à la fois pratiques et appétissants...

REPAS FAMILIAL

Soupe à l'orge et aux légumes
Brochettes de jambon
Riz brun
Salade de tomates
Crème de café
Lait, thé, café

Soupe au blé
Sole dijonnaise
Choux de Bruxelles amandine
Légumes d'hiver en salade
Blanc-manger aux fruits séchés
Lait, thé, café

BUFFETS

Brunch

Jus de tomate fruité
Champignons farcis
Cretons Alexandra
Pâté de foie
Biscottes aux graines de sésame
Tarte aux œufs
Galettes Bonne Franquette
Salade du chef
Parfait aux fraises
Lait, thé, café

Souper

Gélatine ensoleillée
Pâté d'agneau
Corbeille de pains
Roulades de jambon
Pommes de terre à la gitane
Salade de haricots verts et de noix
Gâteau au fromage
Lait, thé, café

PIQUE-NIQUE

romantique...
Cocktail du jardin
Pain au fromage
Salade d'épinards et d'orange
Salade croquante au thon
Tutti frutti à la papaye
Eau citronnée

familial
Trempette aux oignons verts
Crudités
Biscottes de blé entier
Poulet grillé à l'estragon (froid)
Salade aux germes de haricots mungo et
    aux carottes
Yogourt maison
Pain aux bananes
Boisson d'été

231

Préparer chaque semaine des « repas sans viande » pourrait permettre à toute la famille de découvrir et d'apprécier un nouveau « monde de saveurs »... voire même d'expérimenter une sensation de mieux-être... et ce, tout en réalisant des économies... !

Aussi, pourquoi ne pas tenter dès maintenant l'expérience de remplacer un conventionnel plat de viande, par un mets à base de légumineuses et de céréales à grains entiers... ? L'originalité de ce repas serait rehaussée ; sa succulence, plus que probable ; sa valeur alimentaire, caractérisée par une augmentation de la teneur en fibres et peut-être même, par une diminution de l'apport de matières grasses...

Les plats à base de légumineuses, céréales, graines et noix se tailleront, bientôt, une place de choix dans le menu. Leur consommation constituera toujours un nouveau plaisir pour l'œil et le palais puisqu'ils adopteront mille formes, mille textures, mille couleurs, mille saveurs...

Nous voulons, cependant, souligner qu'avant de centrer son alimentation sur les mets végétariens et de délaisser complètement la viande, la volaille et le poisson, il est primordial de bien se renseigner sur le végétarisme et la composition des aliments. Les limites de cet ouvrage ne nous permettent, malheureusement, pas d'approfondir la question ; aussi, nous recommandons, à cette étape, de consulter un diététiste afin de poursuivre, avec assurance, l'exploration du monde du végétarisme.

Nous avons, tout de même, tenu à présenter dans les prochaines pages, les principes à la base d'un végétarisme équilibré ; le mode de cuisson des légumineuses et des céréales de même que le mode de germination des légumineuses ; la liste des recettes lacto-ovo-végétariennes proposées dans ce volume et, pour compléter le tout, des suggestions de menus lacto-ovo-végétariens.

DEUX LOIS FONDAMENTALES,
POUR UN VÉGÉTARISME PROFITABLE

1. MOINS L'ON CONSOMME D'ALIMENTS D'ORIGINE ANIMALE, PLUS L'ON DOIT ÊTRE ATTENTIF À L'ÉQUILIBRE DE SON ALIMENTATION

Afin de favoriser un apport nutritif adéquat, nous recommandons donc d'adopter le lacto-ovo-végétarisme ; ce qui correspond au maintien d'une bonne consommation de lait, de produits laitiers et d'œufs.

2. L'UNION DES PROTÉINES FAIT LEUR FORCE

Dans une alimentation végétarienne, il faut non seulement tenir compte de la quantité de protéines ingérées mais aussi de leur qualité.

Les protéines sont des éléments bâtisseurs indispensables à l'organisme. Elles se composent d'une série d'unités appelées acides aminés ; huit d'entre eux (les acides aminés essentiels) doivent être fournis par les aliments alors que les autres pourront être fabriqués par l'organisme.

Les protéines d'origine animale sont dites complètes car elles renferment les huit acides aminés essentiels. Tel n'est malheureusement pas le cas des protéines d'origine végétale : elles sont déficientes en un ou plusieurs des acides aminés essentiels. Il est toutefois important de noter que cette déficience diffère suivant la famille d'aliments dont proviennent les protéines d'origine végétale.

Présentons donc ici les trois familles d'aliments qui constituent des sources importantes de protéines d'origine végétale.

LÉGUMINEUSES	CÉRÉALES		GRAINES et NOIX
	Céréales	*Produits céréaliers*	
Haricots blancs	Avoine, gruau	Céréales à déjeuner	Graines de sésame
Haricots de Lima	Blé	(de grains entiers)	Graines de tournesol
Haricots flageolets	Maïs	Pain (à grains entiers)	Graines de citrouille
Haricots mungo	Millet	Pâtes alimentaires	Graines de courge
Haricots rouges	Orge	etc.	Noix d'acajou
Lentilles	Riz brun, blanc		Noix de Grenoble
Pois cassés	Sarrasin		Pistaches
Pois chiches	Seigle		Arachides
Soya			Beurre d'arachides
etc.			etc.

La variété ne manque pas au sein de chaque groupe !

Les protéines d'origine végétale sont incomplètes. Il est possible, en tirant profit des informations déjà présentées, de les COMPLÉTER adéquatement par des ASSOCIATIONS ALIMENTAIRES appropriées :

PROTÉINES VÉGÉTALES	+	PROTÉINES ANIMALES		PROTÉINES VÉGÉTALES	+	PROTÉINES VÉGÉTALES COMPLÉMENTAIRES
légumineuses		œuf		légumineuses		céréales
ou		*ou*				*ou*
céréales		fromage				graines et noix
ou		*ou*	OU			
graines et noix		lait				
		ou				
		yogourt				

CÉRÉALES
MODE DE CUISSON

1) PRÉPARATION

   Laver les grains à l'eau froide.

2) CUISSON

   Mesurer 750 mL (3 tasses) de liquide* pour
            250 mL (1 tasse) de millet ou de sarrasin

            500 mL (2 tasses) de liquide* pour
            250 mL (1 tasse) d'autres céréales

   Verser le liquide dans une casserole.
   Couvrir, amener au point d'ébullition.
   Ajouter les céréales.
   Amener de nouveau au point d'ébullition.
   Réduire l'intensité du feu ; couvrir et laisser mijoter jusqu'à ce que tout le liquide soit absorbé (30 - 45 minutes).

* De l'eau ou du bouillon dégraissé ou du jus de légumes, etc.

LÉGUMINEUSES
MODE DE CUISSON

1) PRÉPARATION

Trier et rincer les légumineuses à l'eau froide.

2) TREMPAGE

Toutes les légumineuses, sauf les lentilles et les pois cassés, doivent tremper avant cuisson.

a) MÉTHODE CONVENTIONNELLE

Couvrir d'eau : environ 750 mL (3 tasses) d'eau pour 250 mL (1 tasse) de légumineuses. Laisser tremper toute la nuit (environ 10 heures) à température de la pièce.

b) MÉTHODE RAPIDE

Couvrir d'eau : environ 750 mL (3 tasses) d'eau pour 250 mL (1 tasse) de légumineuses. Amener au point d'ébullition ; réduire l'intensité du feu et laisser mijoter environ 5 minutes. Retirer du feu.
Laisser tremper environ 1 heure à la température de la pièce.

3) CUISSON

Amener l'eau de trempage et les légumineuses au point d'ébullition ; réduire l'intensité du feu et laisser mijoter.
Ajouter de l'eau, au besoin, afin que les légumineuses soient toujours couvertes d'eau.
Cuire jusqu'à ce que les légumineuses soient tendres.

LÉGUMINEUSES

TEMPS DE CUISSON ET RENDEMENT

Le temps de cuisson varie selon la sorte de légumineuses. De fait, la durée de cuisson est à peu près proportionnelle à la grosseur des haricots ou des pois utilisés.

Toutefois, pour plus de précision, nous vous fournissons, ici, les temps de cuisson et les rendements des différentes légumineuses employées dans les recettes de ce volume.

LÉGUMINEUSES	TEMPS DE CUISSON	RENDEMENT APRÈS CUISSON pour 250 mL (1 tasse) DE LÉGUMINEUSES SÈCHES
Haricots mungo	20 à 30 minutes	750 mL (3 tasses)
Lentilles vertes	30 à 45 minutes	625 mL (2½ tasses)
Petits haricots blancs	1½ à 2 heures	625 mL (2½ tasses)
Pois chiches	2 heures	625 mL (2½ tasses)
Soya	3 heures	750 mL (3 tasses)

MODE DE GERMINATION

Prenez plaisir à voir germer des légumineuses telles que les haricots mungo et la luzerne, et obtenez ainsi un produit nutritif à son maximum de fraîcheur... Ces germes de légumineuses sauront rehausser le goût et l'apparence de vos soupes, salades, sandwiches, etc.

1. Choisir des légumineuses saines et entières.

2. Rincer les légumineuses à l'eau tiède et les placer dans un récipient approprié [ex. : pot de verre de 2 - 4 L (1½ - 3 pintes)].

3. Couvrir les légumineuses d'environ 4 fois leur volume d'eau tiède.
   Laisser tremper à la température de la pièce, jusqu'à ce qu'elles soient gonflées.

4. Retirer l'eau de trempage.
   Laisser les légumineuses dans le pot. Les rincer à grande eau ; retirer l'eau de rinçage.

*5. Fixer solidement un morceau de coton à fromage sur le dessus du pot.
   Placer le pot dans un endroit sombre (ex. : armoire), son ouverture vers le bas et le pot légèrement incliné ; pour ce faire, l'appuyer sur la paroi d'un récipient dans lequel le surplus d'eau pourra s'égoutter complètement.

**6. Rincer les légumineuses à l'eau froide, 3 à 6 fois par 24 heures.
   Pour ce faire, placer le pot sous le robinet ;
           l'emplir d'eau froide ;
           l'agiter ;
           retirer l'eau.
   Replacer le pot dans un endroit sombre, en position inversée et inclinée, afin que l'eau puisse s'égoutter complètement.

Après 3 à 4 jours, les germes devraient avoir atteint
leur longueur idéale.

7. Rincer les germes à l'eau froide.
   Enlever les pelures, si désiré.

8. Conserver au réfrigérateur.

*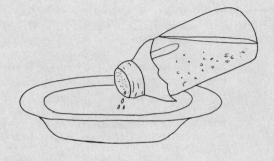

**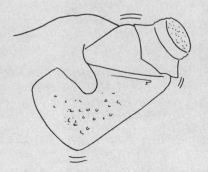

239

Plusieurs recettes, proposées dans ce volume, sont compatibles avec un mode d'alimentation lacto-ovo-végétarien.

1. Entrées

La majorité de ces préparations sont COMPATIBLES avec un mode d'alimentation lacto-ovo-végétarien, sauf ;

RECETTE	PAGE
Cretons Alexandra	24
Galettes Bonne Franquette	57
Garniture au maquereau	25
Gondoles aux fruits de mer	58
Pamplemousses farcis aux crevettes	26
Pâté d'agneau	27
Pâté de foie	28

2. Mets principaux

Les mets principaux qui NE CONTIENNENT PAS DE VIANDE, DE VOLAILLE OU DE POISSON sont énumérés dans le prochain tableau. Cette liste se divise en deux catégories, suivant que la combinaison d'ingrédients de chacun de ces mets assure ou non un apport de protéines complètes.

Dans le cas où les protéines sont incomplètes, les associations alimentaires proposées à la page 234, permettent de choisir des mets d'accompagnement capables de corriger cette situation. À titre d'exemples, des suggestions d'accompagnements sont données ci-dessous.

RECETTE	PAGE	SOURCE DE PROTÉINES COMPLÈTES		ACCOMPAGNEMENT SUGGÉRÉ (aliments d'origine végétale)
		OUI	NON	
Boucles au fromage	101	X		
Croquettes de fromage	102	X		
Haricots mungo et riz à l'italienne	104	X		
Macédoine de soya	105	X		
Pain aux légumineuses	106	X		
Poivrons farcis au fromage	107	X		
Salade de haricots rouges et flageolets	108		X	Salade de riz (céréales)
Tarte florentine	109	X		

3. Légumes

Toutes ces recettes sont COMPATIBLES avec le lacto-ovo-végétarisme.

4. Desserts

Toutes ces recettes sont COMPATIBLES avec le lacto-ovo-végétarisme.

5. Accompagnements

Toutes ces recettes sont COMPATIBLES avec le lacto-ovo-végétarisme, à l'exception de

RECETTE	PAGE
Trempette aux crevettes	197

6. Boissons

Toutes ces recettes sont COMPATIBLES avec le lacto-ovo-végétarisme.

MENUS LACTO-OVO-VÉGÉTARIENS

Les recettes compatibles avec un mode d'alimentation lacto-ovo-végétarien peuvent être assemblées pour bâtir des menus fort attrayants... tels que :

BOÎTE À LUNCH	SOUPER DU DIMANCHE	RÉCEPTION DÉCONTRACTÉE...
Fromage et biscottes	Crème de courgettes	Gaspacho en aspic
Salade de haricots rouges et flageolets	Haricots mungo et riz à l'italienne	Salade de carottes et de germes de luzerne
Salade italienne aux haricots verts	Coupe de fraises et de raisins verts	Tarte florentine
Muffins à l'avoine et aux raisins	Biscuits au germe de blé	Poires au kiwi
Jus lacté	Lait, menthe, verveine	Biscuits santé
		Lait, menthe, verveine

Que de préjugés défavorables entourent l'alimentation du diabétique... Pourtant si l'on considère de plus près la structure d'alimentation proposée aux diabétiques, on découvre qu'elle offre d'attrayantes possibilités au niveau de la variété et de la saveur.

Au cours des prochaines pages, nous explorerons le modèle d'alimentation recommandé aux diabétiques, AFIN DE MIEUX LE CONNAÎTRE... POUR POUVOIR MIEUX L'UTILISER ET MIEUX L'APPRÉCIER.

Les thèmes traités sont les suivants :

Ces informations guideront la planification du menu alors qu'imagination et créativité permettront d'ajouter un « brin de fantaisie » dans la présentation des aliments... et ainsi, chaque repas pourra réellement constituer une source de bien-être et de plaisir !

... ET LE GUIDE ALIMENTAIRE CANADIEN

Ce guide est le modèle d'alimentation proposé aux Canadiens pour qu'ils puissent satisfaire adéquatement leurs besoins nutritifs. Ses recommandations servent toujours de fondement à l'élaboration d'un plan d'alimentation pour diabétique.

Ses *recommandations* sont les suivantes :

MANGEZ CHAQUE JOUR DES ALIMENTS CHOISIS DANS CHACUN DES GROUPES

2 portions de LAIT et PRODUITS LAITIERS

Exemples
lait écrémé, lait partiellement écrémé,
lait entier, lait de beurre, yogourt

3 - 5 portions de PAIN et CÉRÉALES

Exemples
pain de blé entier, pain de seigle,
pain aux raisins, muffin, gruau,
blé filamenté, flocons de son,
riz, macaroni, spaghetti...

---

4 - 5 portions de FRUITS et LÉGUMES

Exemples
orange, cantaloup, framboises
jus de pomme, jus de raisins
betteraves, macédoine, panais,
jus de tomate, jus de légumes

---

2 portions de VIANDE, POISSON, VOLAILLE et SUBSTITUTS

Exemples
Agneau, cheval, poulet,
foie de porc, aiglefin, œufs,
beurre d'arachides, fromage cottage

Le diabète correspond à une insuffisance, complète ou partielle, d'insuline. Il s'ensuit une élévation anormale de la glycémie. Pour corriger cette situation, il faut :
— équilibrer l'alimentation en terme de qualité et de quantité
— favoriser l'activité physique
— prendre, s'il y a lieu, la médication prescrite par le médecin.

En ce qui a trait à l'ajustement de son alimentation, le diabétique est guidé par un diététiste. Pour ce faire, celui-ci s'appuie sur les recommandations du Guide alimentaire canadien et il tient compte des objectifs suivants :
— consommer, chaque jour, 3 repas équilibrés avec ou sans collation(s).

    Dans un repas équilibré, une juste quantité de protéines et de gras peut ralentir la digestion des sucres. Par conséquent, l'élévation de la glycémie après le repas se fait de façon plus lente et de là favorise un meilleur contrôle du diabète. Pour leur part, les collations contribuent à prévenir l'hypoglycémie (baisse anormale du taux de sucre sanguin) entre les repas

— restreindre considérablement les sucres concentrés et les aliments très sucrés (lesquels ne sont d'ailleurs pas recommandés dans le Guide alimentaire canadien)
— favoriser la régularité dans l'horaire des repas et, s'il y a lieu, des collations
— atteindre et maintenir un poids désirable.

... ET LA COMPOSITION DES ALIMENTS

Comme les aliments représentent la principale source de sucre dans le sang, connaître leur composition constitue un atout des plus précieux... pour mieux orienter ses choix alimentaires et ainsi mieux contrôler son diabète.

1. **les sucres**

Ces substances nutritives sont aussi appelées glucides ou hydrates de carbone. Il en existe 2 types :

a) *les sucres simples*

Ces sucres sont digérés rapidement et atteignent le sang en peu de temps.

SOURCES PRINCIPALES :
- sucres concentrés : sucre blanc et brun, miel, mélasse, sirop, confiture, bonbons, etc.
- fruits et jus de fruits
- certains légumes
- lait et yogourt

b) *les sucres complexes*

Ceux-ci ne goûtent pas « sucré » et leur principal représentant est l'amidon.

Ces sucres arrivent dans le sang un peu plus lentement car ils doivent d'abord être transformés en sucres simples au cours de la digestion.

SOURCES PRINCIPALES :
- farine, fécule
- pain, céréales
- riz, maïs
- pommes de terre
- pâtes alimentaires
- légumineuses : haricots, lentilles, pois secs, etc.
- muffins, pains rapides et autres produits céréaliers

Les sucres concentrés et les aliments à haute teneur en sucre sont considérablement restreints dans l'alimentation du diabétique. Ces aliments provoquent, en effet, une élévation soudaine et importante de la glycémie alors qu'ils offrent, généralement, peu de valeur nutritive. Par contre, en raison d'un apport nutritif important, les autres sources de sucre déjà mentionnées (fruits, légumes, lait, pain, céréales, pommes de terre, etc.) font partie de l'alimentation du diabétique. Il est, toutefois, essentiel que tous ces aliments soient bien répartis dans la journée afin d'éviter les variations importantes de la glycémie. Les produits contenant essentiellement des sucres complexes plutôt que des sucres simples seront, dans une certaine mesure, privilégiés en raison de leur digestion plus lente.

Pour éviter toute ambiguïté, nous nous devons de préciser, ici, que certains aliments des listes d'équivalents (voir p.252) contiennent du sucre (cassonade, miel, mélasse, etc.). Citons, par exemple, les biscuits secs, les muffins et la crème glacée. Ces aliments sont acceptables en autant qu'on respecte la portion indiquée dans les listes.

Et il en est ainsi de certaines recettes proposées dans ce volume. La quantité de sucre qu'on y retrouve est cependant toujours faible : jamais plus de 5 g par portion, soit environ 5 mL ou 1 c. à thé. En tenant compte de leur valeur en équivalents, ces mets peuvent donc s'intégrer dans le plan d'alimentation du diabétique.

Est-il préférable de prendre des sucres « naturels » ?

Le fait qu'un aliment soit appelé « naturel » signifie qu'il n'a pas été raffiné ou transformé. Cela ne modifie aucunement sa teneur en sucre. Par exemple, le miel et le sirop d'érable provoquent une élévation de la glycémie au même titre que le sucre blanc... ils ne présentent donc aucun avantage pour le diabétique.

2. les protéines

Ces substances nutritives contribuent à maintenir, dans le sang, un taux de sucre suffisant entre les repas.

SOURCES PRINCIPALES :

D'ORIGINE ANIMALE
- Viande — volaille — poisson
- Abats
- Oeuf
- Fromage
- Lait — yogourt

D'ORIGINE VÉGÉTALE
- Légumineuses : haricots, lentilles, pois secs, etc.
- Graines : de sésame, de tournesol, etc.
- Noix : du Brésil, de Grenoble, etc.
- Beurre d'arachides

3. les gras

Ces substances nutritives interviennent peu au niveau de la production de sucre dans le sang. Les matières grasses constituent cependant des sources concentrées de calories. Une consommation importante de ces substances peut rendre difficile le contrôle du poids.

SOURCES PRINCIPALES :
- Beurre — margarine
- Graisse végétale — saindoux — lard — suif
- Huile
- Mayonnaise — vinaigrette
- Crème — sauces
- Noix — arachides
- Viande (particulièrement : charcuteries, agneau, bœuf, porc)
- Fromage

Les gras polyinsaturés ont été mis en vedette au cours des dernières années. Ils permettraient, dans certains cas, une diminution du taux de cholestérol sanguin. Si, en raison d'une condition de santé particulière (telle qu'hypercholestérolémie), il vous est recommandé de favoriser les gras polyinsaturés et de délaisser les gras saturés, voici une liste qui pourra guider vos choix alimentaires:

SOURCES PRINCIPALES :

GRAS SATURÉS	GRAS POLYINSATURÉS

GRAS SATURÉS

- Lard, suif
- Saindoux, graisse végétale
- Margarine à faible teneur en acides gras polyinsaturés
- Huile : de coco, de palme
- Mayonnaise
- Beurre
- Crème, crème glacée
- Cacao, chocolat
- Noix de coco
- Viande
- Lait entier
- Fromage, yogourt : faits de lait entier

GRAS POLYINSATURÉS

- Huile : de tournesol, de soya, de maïs
- Vinaigrette : préparée avec ces huiles
- Margarine molle à haute teneur en acides gras polyinsaturés (vérifier sur l'étiquette)
- Graines de tournesol
- Graines de sésame
- Graines de citrouille
- Noix de Grenoble
- Avelines
- Pacanes
- Amandes

4. les fibres alimentaires

Les fibres constituent la partie non digestible des fruits, des légumes, des céréales à grains entiers et des légumineuses. Leur consommation procure beaucoup d'avantages, comme par exemple :
— aider le travail intestinal... ce qui contribue à prévenir ou à corriger la constipation,
— obtenir une sensation de satiété, plus rapidement,
— favoriser un ralentissement de la vitesse de digestion et d'absorption des sucres ; ce qui permettrait d'éviter, chez certains diabétiques, une élévation trop rapide de la glycémie après les repas.

Le diabétique, comme son entourage, a donc avantage à :

— choisir des pains, céréales, muffins à grains entiers (avoine, sarrasin, blé entier, etc.) ;
— consommer des fruits et des légumes frais (avec la pelure, si possible) au lieu des jus de fruits et de légumes ;
— remplacer, à l'occasion, un traditionnel plat de viande par un mets à base de légumineuses, dont il connaît la valeur en équivalents ;
— consommer quotidiennement du son. Une quantité de 15 - 30 mL (1 - 2 c. à table) de son pourrait être répartie dans différents aliments au cours de la journée.

Ainsi, pourquoi ne pas : saupoudrer du son sur les céréales, les soupes, le yogourt
incorporer du son dans un pain de viande, une sauce à la viande pour pâtes alimentaires, etc.

5. les vitamines et minéraux

Ces éléments nutritifs sont indispensables à la vie, à la santé et au développement normal de l'organisme. Aucun aliment ne peut, à lui seul, fournir toute la gamme des vitamines et minéraux nécessaires. Seule une alimentation variée et équilibrée saura le faire.

Le système d'équivalents, aussi nommé système d'échanges, constitue, pour plusieurs diabétiques, la structure de base de leur alimentation. On y classe les aliments en 6 groupes, suivant leur composition propre. **Les aliments d'un même groupe sont équivalents et donc interchangeables selon les quantités indiquées.** Ce système d'échange prend toute sa signification lorsqu'un diététiste l'organise sous forme de menu-type approprié aux besoins de la personne à qui il est destiné.

Le menu-type correspond aux quantités d'équivalents de chaque groupe, réparties à l'intérieur de la journée, sous forme de repas et collations. La diversité de choix, possible dans chaque groupe d'aliments, permet de modeler ses menus quotidiens en fonction de ses goûts et des circonstances.

ÉQUIVALENTS DE LAIT

Ces aliments, dans les quantités indiquées, contiennent environ 6 g de glucides et 4 g de protéines.
Quant à la teneur en gras, elle varie selon la sorte de lait utilisée :

lait entier = 4 g, lait partiellement écrémé (2% M.G.) = 2 g, lait écrémé = 0 g.

	Métrique	*Impérial*
Lait	125 mL	½ tasse
Lait de beurre	125 mL	½ tasse
Lait évaporé	50 mL	¼ tasse
Poudre de lait écrémé	25 mL	2 c. à table
Yogourt nature	125 mL	½ tasse

ÉQUIVALENTS DE LÉGUMES A

Ces légumes, dans les quantités indiquées, contiennent environ 7 g de glucides et 2 g de protéines.

	Métrique	Impérial
Betteraves	125 mL	½ tasse
Carottes	125 mL	½ tasse
Citrouille (cuite)	125 mL	½ tasse
Courge	125 mL	½ tasse
Haricots de Lima (cuits)	50 mL	¼ tasse
Macédoine	125 mL	½ tasse
Navet	125 mL	½ tasse
Oignon	1 moyen	1 moyen
Panais	125 mL	½ tasse
Petits oignons blancs	10	10
Poireaux	2 moyens	2 moyens
Pois verts		
frais ou congelés	125 mL	½ tasse
en conserve	75 mL	⅓ tasse
JUS		
de légumes	250 mL	1 tasse
de tomate	250 mL	1 tasse

Ces légumes ont globalement une valeur en glucides, en protéines et en lipides négligeable. Crus, ils peuvent être consommés sans tenir compte de la quantité. Cuits, une portion équivaut à 1 tasse (250 mL).

Artichaut	Chou frisé	Germes de luzerne
Asperges	Choux de Bruxelles	Haricots jaunes ou verts
Aubergine	Concombre	Laitue
Brocoli	Courge spaghetti	Oignons verts
Céleri	Courgette (zucchini)	Okra
Champignons	Cresson	Persil
Chicorée	Crosses de fougère	Poivron rouge
Chou	Endives	Poivron vert
Choucroute	Épinards	Pousses de bambou
Chou-fleur	Escarole	Radis
Chou-rave	Feuilles (de betteraves, de navets, de pissenlits, etc.)	Tomate
Chou chinois	Germes de haricots mungo	

ÉQUIVALENTS DE FRUITS

Ces aliments, dans les quantités indiquées, contiennent environ 15 g de glucides.

	Métrique	*Impérial*
Abricots		
frais	2 moyens	2 moyens
séchés	4-5 moitiés	4-5 moitiés
en conserve*	4 moitiés	4 moitiés
Ananas		
frais	125 mL	½ tasse
en conserve*	125 mL ou	½ tasse ou
	2 tranches	2 tranches
Banane		
fraîche	½ petite	½ petite
séchée (en flocons)	25 mL	2 c. à table
Bleuets	125 mL	½ tasse
Cantaloup	½ de 13 cm	½ de 5 po.
en cubes ou découpé à la	de diamètre	de diamètre
cuillère parisienne	250 mL	1 tasse
Cerises		
fraîches	10 grosses	10 grosses
en conserve*	125 mL	½ tasse
Dattes	2	2
Figue	1	1
Fraises	250 mL	1 tasse
Framboises	175 mL	¾ tasse
Groseilles	250 mL	1 tasse

Kiwis	2	2
Lychées		
en conserve*	8	8
Mandarine		
fraîche	1 grosse ou 2 petites	1 grosse ou 2 petites
en conserve*	125 mL	½ tasse
Mangue	⅓ d'une moyenne	⅓ d'une moyenne
Melon d'eau	triangle de 13 cm	triangle de 5 po.
en cubes ou découpé à la	sur 2,5 cm d'épaisseur	sur 1 po. d'épaisseur
cuillère parisienne	250 mL	1 tasse
Melon de miel	½ de 13 cm de	½ de 5 po. de
en cubes ou découpé à	diamètre	diamètre
la cuillère parisienne	250 mL	1 tasse
Mûres	175 mL	¾ tasse
Nectarine	1 moyenne	1 moyenne
Orange	1 moyenne	1 moyenne
Pamplemousse	½ moyen	½ moyen
Papaye	⅓ d'une moyenne	⅓ d'une moyenne
Pêche		
fraîche	1 grosse	1 grosse
séchée	1 moitié	1 moitié
en conserve*	2 moitiés ou 125 mL	2 moitiés ou ½ tasse
Poire		
fraîche	1 petite	1 petite
séchée	1 moitié	1 moitié
en conserve*	2 moitiés ou 125 mL	2 moitiés ou ½ tasse

Pomme		
fraîche	1 petite	1 petite
séchée	5 morceaux	5 morceaux
compote non sucrée	125 mL	½ tasse
Pomme-grenade	1 petite	1 petite
Pruneaux — Prunes	2 moyens	2 moyens
Raisins		
frais	14	14
séchés	25 mL	2 c. à table
Rhubarbe cuite non sucrée	250 mL	1 tasse
Salade de fruits frais *ou* **en conserve***	125 mL	½ tasse
Tangelo	1	1
JUS**		
de pruneaux	75 mL	⅓ tasse
autres	125 mL	½ tasse

Ce choix donne :

1 équivalent de fruit + 2 équivalents de gras

Crème glacée	125 mL	½ tasse

* Fruits en conserve

— dans un jus naturel non sucré : meilleur choix
25 mL ou 2 c. à table de ce jus peut être ajouté à la portion de fruit indiquée.

— dans un sirop léger : retirer les fruits du sirop et les rincer.

— dans un sirop épais : déconseillés.

** Les jus de fruits, même non sucrés, apportent des sucres rapidement absorbables... mais bien peu de fibres ! Le choix à favoriser demeure donc les fruits.

257

Ces aliments, dans les quantités indiquées, contiennent environ 15 g de glucides et 2 g de protéines.

	Métrique	*Impérial*
PAIN		
Pain de blé entier, blanc, aux raisins	1 tranche	1 tranche
Pain de seigle	1 petite tranche	1 petite tranche
Pain français (baguette)	1 tranche de 4 cm	1 tranche de 1½ po.
Pain genre « hamburger »	½	½
Pain genre « hot dog »	½	½
Petit pain à salade	1	1
Bagel	½	½
Matzos	1 de 15 cm	1 de 6 po.
Muffin anglais	½	½
Pita	½ de 10 cm de diamètre	½ de 4 po. de diamètre
Tortilla	1 de 15 cm	1 de 6 po.
Chapelure de pain	50 mL	¼ tasse
BISCOTTES ET BISCUITS		
Bâtonnets, genre Grissol	4	4
Biscottes	2	2
Biscuits soda	4	4

Melbas		
rectangulaires	4	4
rondes	6	6
Biscuits secs		
arrowroot	3	3
au son, genre Graham	3 de 6 cm^2	3 de 2½ po.^{2}
genre Social Tea, Petit Beurre	4	4
genre Village	2	2

CÉRÉALES

À déjeuner

Cuites :		
Gruau	125 mL	½ tasse
Crème de blé	125 mL	½ tasse
Prêtes à servir :		
blé filamenté	1 biscuit rond ou 125 mL, en bouchées	1 biscuit rond ou ½ tasse, en bouchées
séchées, en flocons (ex. : flocons de maïs)	175 mL	¾ tasse
séchées, soufflées (ex. : riz crispé)	250 mL	1 tasse
Sarrasin (kasha), cuit	125 mL	½ tasse
Tapioca, cru	25 mL	2 c. à table

FARINE	35 mL	2½ c. à table

FÉCULE	25 mL	2 c. à table

PÂTES ALIMENTAIRES CUITES (nouilles, macaroni, spaghetti, etc.)	125 mL	½ tasse
RIZ CUIT	125 mL	½ tasse
LÉGUMES		
Maïs		
épi	1 petit de 13 cm	1 petit de 5 po.
en grains	125 mL	½ tasse
en crème	75 mL	⅓ tasse
Patate sucrée (yam)	½ moyenne	½ moyenne
Pomme de terre		
entière	1 petite	1 petite
en purée	125 mL	½ tasse
DIVERS		
Banane plantain	⅓ d'une petite	⅓ d'une petite
Cornets pour crème glacée	2	2
Galette de sarrasin, crêpe	50 mL de pâte (avant cuisson)	¼ tasse de pâte (avant cuisson)
Germe de blé	50 mL	¼ tasse
Maïs soufflé	375 mL	1½ tasse
Soupe aux pois, dégraissée	125 mL	½ tasse
Soupe avec pâtes ou céréales, dégraissée	200 mL	¾ tasse
Soupe condensée en conserve (non diluée)	75 mL	⅓ tasse

Ces choix donnent :

1 équivalent de pain + 1 équivalent de gras

Beigne non glacé	1 petit	1 petit
Biscuit à la poudre à pâte	1 de 5 cm de diamètre	1 de 2 po. de diamètre
Frites	10 moyennes	10 moyennes
Gaufre	1 de 13 cm de diamètre	1 de 5 po. de diamètre
Muffin	1 petit	1 petit

1 équivalent de pain + 2 équivalents de gras

Croissant	1	1

1 équivalent de pain + 1 équivalent de viande

Légumineuses cuites (ex. : haricots de Lima, mungo, rouges, lentilles, pois chiches, soya, etc.)	125 mL	½ tasse

Ces aliments, dans les quantités indiquées, contiennent environ 7 g de protéines et 5 g de lipides (gras).

VIANDE, VOLAILLE, ABATS		
Bœuf, veau, agneau, porc, jambon, poulet, dinde, lapin, foie, langue, cœur, rognons, cervelle, ris de veau	30 g	1 once
Viande en cubes	1 cube de 2,5 cm	1 cube de 1 po.
POISSON ET FRUITS DE MER		
Poisson frais ou congelé en conserve (égoutté) :	30 g	1 once
saumon, thon, maquereau,	50 mL	¼ tasse
sardines	3	3
Crabe et homard	50 mL	¼ tasse
Crevettes	5 grosses 10 moyennes 18 petites	5 grosses 10 moyennes 18 petites
Palourdes, moules, huîtres, pétoncles, escargots	3 moyens	3 moyens
CHARCUTERIES		
*Bacon de dos	3 tranches minces	3 tranches minces
*Boudin	1 bout de 5 cm × 1 cm	1 bout de 2 po. × ½ po.

Cretons maigres	25 mL	2 c. à table
*Salami, saucisson, etc.	30 g	1 once
*Saucisse	1	1
*Saucisses cocktail	3	3
ŒUF	1	1
Oeuf brouillé	50 mL	¼ tasse
FROMAGES		
Au lait écrémé ou partiellement écrémé	30 g	1 once
Cottage (à la pie), ricotta	50 mL	¼ tasse
*réguliers genre cheddar, brick, gruyère, emmenthal, etc.	30 g	1 once
Râpé grossièrement	75 mL	⅓ tasse
Sec, râpé finement	45 mL	3 c. à table
*BEURRE D'ARACHIDES	15 mL	1 c. à table
TOFU	125 mL	½ tasse

*Ces choix apportent beaucoup de gras caché : il est sage d'en limiter la consommation.

Ces aliments, dans les quantités indiquées, contiennent environ 5 g de lipides (gras).

Beurre ou margarine	5 mL	1 c. à thé
Avocat	⅛	⅛
Bacon de flanc croustillant	1 tranche	1 tranche
Crème épaisse	15 mL	1 c. à table
Crème légère	25 mL	2 c. à table
Fromage à la crème	15 mL	1 c. à table
Graisse végétale	5 mL	1 c. à thé
Huile	5 mL	1 c. à thé
Mayonnaise	5 mL	1 c. à thé
Olives vertes	10	10
Saindoux	5 mL	1 c. à thé
Sauce à salade (genre mayonnaise)	10 mL	2 c. à thé
Vinaigrette	15 mL	1 c. à table
GRAINES ET NOIX		
Amandes	8	8
Arachides (écalées)	10	10
Avelines	5	5
Graines de citrouille	20 mL	4 c. à thé
Graines de sésame	15 mL	1 c. à table
Graines de tournesol (écalées)	15 mL	1 c. à table
Noix d'acajou (ang. : cashews)	5	5
Noix de coco râpé		
frais	45 mL	3 c. à table
séché	15 mL	1 c. à table
Noix de Grenoble	4 moitiés	4 moitiés
Noix du Brésil	2	2
Pacanes	5 moitiés	5 moitiés
Pistaches	20	20

ALIMENTS DE FAIBLE VALEUR CALORIQUE

sans restriction

Ail
Assaisonnements : sel, poivre, épices,
                 fines herbes
Bouillons dégraissés
Citron
Consommés dégraissés
Eaux gazéifiées (genre Club Soda)
Eaux minérales
Essences
Gélatine neutre
Limette
Marinades sures
Moutarde
Raifort
Sauce soya, sauce anglaise (genre Worcestershire)
Tisanes (infusions)
Vinaigre

pouvant être consommés avec modération

Cacao nature
Canneberges cuites sans addition de sucre
Condiments, genre : ketchup, relish
Sauces, genre : barbecue, HP, steak A-1, chili
Son
Thé et café (nature)

ALIMENTS À HAUTE TENEUR EN SUCRE CONCENTRÉ
Ces aliments ne devraient pas figurer au menu du diabétique

Bonbons
Chocolats
Confitures, gelées, marmelades
Miel, mélasse, sirops, produits de l'érable
Sucre blanc et brun
Beignes glacés
Biscuits glacés
Boissons gazeuses
Céréales enrobées de sucre
Fruits confits
Gâteaux, pâtisseries, tartes
Gommes à mâcher sucrées
Jus de fruits sucrés, substituts de jus (cristaux, boissons, nectars)
Lait au chocolat
Lait condensé
Mélange à boissons et boissons alcooliques très sucrées
   (vins sucrés, digestifs, etc.)
Poudings
Préparations pour thé glacé
Sauces sucrées

VALEUR* DES RECETTES SELON LE SYSTÈME DE GROUPES D'ALIMENTS
« Vive la santé, vive la bonne alimentation ! »

ENTRÉES	Aliments riches en protéines	Féculents	Lait	Fruits et légumes	Matières grasses	Extra
ENTRÉES						
P. ENTRÉES FROIDES						
18 Aspic de betteraves				½		
19 Aspic de fromage aux légumes...................	½			½	1	
20 Aspic de légumes citronné						1
21 Gaspacho en aspic...............................				½		
22 Gélatine ensoleillée..............................				1½		
23 Boule au fromage	1				1	
24 Cretons Alexandra	1				½	
25 Garniture au maquereau	1				½	
26 Pamplemousses farcis aux crevettes	1			1½		
27 Pâté d'agneau	1					
28 Pâté de foie....................................	1					
29 Pâté de pois chiches		½				
30 Pâté de soya...................................						1
31 Salade aux germes de haricots mungo et aux carottes...				½		
32 Salade aux pommes et aux raisins				1½		
33 Salade d'avocat et d'épinards	1			½	2	
34 Salade d'épinards et d'orange....................				½		
35 Salade de betteraves............................				½	1	
36 Salade de carottes et de germes de luzerne				½		
37 Salade de concombres et de champignons				½		
38 Salade de haricots verts et de noix				½	1	
39 Salade de tomates				½		
40 Salade du chef..................................						1
41 Salade italienne aux haricots verts				½		
ENTRÉES CHAUDES						
42 Bouillon de boeuf...............................						1
43 Bouillon de légumes.............................						1
44 Crème de brocoli................................			1	½		

ENTRÉES	Aliments riches en protéines	Féculents	Lait	Fruits et légumes	Matières grasses	Extra
45 Crème de carottes			1	½		
46 Crème de céleri			1			
47 Crème de courgettes				½		
48 Crème de maïs		1	1			
49 Potage d'automne				½		
50 Potage québécois				1½	½	
51 Soupe à l'orge						1
52 Soupe à l'orge et aux légumes						1
53 Soupe au blé		1				
54 Soupe aux oeufs					½	
55 Soupe aux pois chiches	½	1			½	
56 Champignons farcis						1
57 Galettes Bonne Franquette	1	1			1	
58 Gondoles aux fruits de mer	1½			½		
59 Oeufs gourmet	1			1	½	
60 Tarte aux oeufs	1	1			2	

METS PRINCIPAUX

POISSONS

	Aliments riches en protéines	Féculents	Lait	Fruits et légumes	Matières grasses	Extra
62 Chaudrée du pêcheur	2½		1	1		
64 Flétan grillé à la lime	3					
65 Pâté d'aiglefin aux fines herbes	4½	½				
66 Salade croquante au thon	2	1			1	
67 Sole dijonnaise	3			½		
68 Turbot fruité	3	1		1½		

POULET

	Aliments riches en protéines	Féculents	Lait	Fruits et légumes	Matières grasses	Extra
70 Poulet à la paysanne	3			½		
69 Poulet grillé à l'estragon	3½					
72 Poulet sauce à la diable	3½					
73 Poulet sésame au brocoli	4			1		
74 Poulet tournesol	3½	1		1		
75 Riz au poulet et aux fruits	3	1½		1		

VEAU

	Aliments riches en protéines	Féculents	Lait	Fruits et légumes	Matières grasses	Extra
76 Côtelettes de veau Bonne Femme	2½	1		½	½	
77 Veau à l'orange	3			1½	1	

METS PRINCIPAUX	Aliments riches en protéines	Féculents	Lait	Fruits et légumes	Matières grasses	Extra
PORC						
78 Brochette de jambon	3			2		
79 Choucroute à l'alsacienne.......................	3			½	1	
80 Jambalaya....................................	2½	1		½		
81 Porc à l'ananas	3½			2	½	
82 Quiche lorraine	2½	1			2	
83 Roulades de jambon	3			2	1	
BOEUF						
84 Courgettes farcies............................	3			½		
85 Gratin d'aubergine (sauce à la viande et aux tomates)	3			1	½	
85 Gratin d'aubergine (sauce aux lentilles et au boeuf)...................................	2½	1		1		
86 Moussaka....................................	2		1	1	½	
89 Salade au boeuf et aux légumes	2½			½	1	
90 Sauce à la viande et aux tomates	2			1	½	
92 Sauce aux lentilles et au boeuf.................	1	½		1		
88 Steak suisse	2½			½	½	
AGNEAU						
96 Cannellonis à l'agneau	3	1	1	½	½	
98 Pain d'agneau	3					
ABATS						
94 Coeurs farcis au four	3	½				
99 Foie en casserole	3			½	½	
100 Pilaf à l'orge et au foie........................	3	1				
METS SANS VIANDE						
101 Boucles au fromage	2	1		½		
102 Croquettes de fromage	3	1			1	
103 « Fèves au lard ».............................	½	1		½		
104 Haricots mungo et riz à l'italienne	1	1		1	½	
105 Macédoine de soya............................	1½	1		½	1	
106 Pain aux légumineuses	2	1½			1	
107 Poivrons farcis au fromage......................	2	1		½		
108 Salade de haricots rouges et flageolets...........	1	1		1	1	
109 Tarte florentine...............................	2	1			2	

LÉGUMES	Aliments riches en protéines	Féculents	Lait	Fruits et légumes	Matières grasses	Extra
LÉGUMES						
LÉGUMES DIVERS						
112 Boules de laitue braisée						1
113 Brocoli relevé				1½		
114 Chou rouge au cidre				1	½	
115 Choux de Bruxelles amandine				½	½	
116 Courge à la moelle florentine				1	½	
117 Courge musquée en purée				1		
118 Courge spaghetti				½	1	
119 Gratin de panais				1		
120 Haricots mange-tout à la provençale				½	½	
121 Jardinière d'épinards				½		
122 Légumes d'hiver en salade				½	1	
123 Macédoine de chou-rave				1		
124 Oignons farcis au poivron vert				1		
125 Petits pois à la française				1		
126 Tomates panées	½	½			½	
FÉCULENTS						
127 Crêpes aux pommes de terre		½			1	
128 Pommes de terre à la gitane		1			1	
129 Pommes de terre en éventail		1				
130 Pommes de terre farcies		1				
131 Pommes de terre parisiennes en sauce		1	1			
132 Riz pilaf		1		½	½	
133 Tomates farcies aux pommes de terre		½		½		
DESSERTS						
PRODUITS À BASE DE FRUITS ET DE LAIT						
136 Bananes amandine				1½	½	
137 Blanc-manger		½	1	½		
137 Blanc-manger aux fruits séchés		½	1	1		
138 Carrés à l'ananas et aux dattes		½		1	1	
139 Compote de fruits chaude				1½		
140 Coupe de fraises et de raisins verts	1			1½	1	

DESSERTS	Aliments riches en protéines	Féculents	Lait	Fruits et légumes	Matières grasses	Extra
141 Crème de café			1		1	
142 Crème opéra				1½	1	
143 Croustillant aux poires				1½	1	
144 Délices aux pommes				1½		
145 Douceurs aux pommes				2	1	
146 Fantaisie au beurre d'arachides			1	1½	1	
146 Friandises givrées				1		
147 Gelée de poires et de lime				1½		
148 Glace aux bananes				1½	½	
149 Glace aux bleuets				1½	½	
150 Mousse à la mangue				1		
151 Mousse aux abricots				1½		
152 Parfait aux fraises			1	1	1	
153 Pêches aux perles bleues				1		
154 Poires au kiwi				2	½	
155 Pommes macaron au four				1½	1	
156 Pouding au riz brun		1	1	½		
157 Rhubarbe tournesol		½		1	1	
158 Salade de fruits au yogourt				1½		
159 Sorbet à l'orange et à l'ananas				1½		
160 Tapioca Rougemont			1	1½		
161 Tutti frutti à la papaye				1½		
162 Yogourt glacé aux abricots			1	1½		
163 Yogourt maison			1			
PRODUITS DE PÂTISSERIE						
164 Biscuits au germe de blé		½		1	1½	
165 Biscuits au seigle et à la mélasse		1			1	
166 Biscuits santé		1			1	
167 Bouchées aux noix				½	1½	
169 Croûte à dessert					1	
174 Galettes de sarrasin		1				
170 Gâteau au fromage	1			1½	1	
172 Gâteau aux fruits		1			1	
175 Muffins à l'avoine et aux raisins		1			1	
176 Muffins à l'orange		1			1	
177 Muffins au son et à la noix de coco		1			1	
178 Muffins aux abricots		1		½	1	
179 Muffins aux dattes		1		1	1	

DESSERTS	Aliments riches en protéines	Féculents	Lait	Fruits et légumes	Matières grasses	Extra
180 Muffins aux pruneaux........................		1		1	1	
168 Cachette aux bleuets		1			2	
181 Pain aux bananes...........................		1			1	
182 Pain aux courgettes		1			1	
184 Pain aux dattes et à l'orange....................		1			½	
185 Pain gallois		1		1	1	
186 Pain suret aux canneberges		1			½	
187 Pâte à tarte au blé entier		½			1½	
188 Tarte aux bananes		½		1	1½	
189 Tarte aux bleuets...........................		½		1½	1½	
190 Tarte aux fraises		½		1½	1½	
191 Tarte aux pommes		½		1½	1½	
192 Tarte ensoleillée		½		2	1½	

ACCOMPAGNEMENTS

PRODUITS CÉRÉALIERS

	Aliments riches en protéines	Féculents	Lait	Fruits et légumes	Matières grasses	Extra
194 Biscottes de blé entier......................		1			1½	
194 " " " (variante aux graines de sésame)..........		1			1	
195 Pain au fromage	½	1			1	

TREMPETTES

196 Trempette à l'avocat.........................					1	
197 Trempette aux crevettes					1	
198 Trempette aux oignons verts						1
199 Trempette aux tomates						1

VINAIGRETTES

200 Vinaigrette crémeuse au yogourt					1	
200 Vinaigrette exotique					1	
201 Vinaigrette piquante........................						1
202 Vinaigrette rubis...........................					1	
203 Vinaigrette russe					1	
204 Vinaigrette tropicale					1½	

SAUCES

205 Glaçage au chocolat.........................						1
206 Sauce aux champignons.....................			1			
207 Sauce aux légumes verts			1			

ACCOMPAGNEMENTS	Aliments riches en protéines	Féculents	Lait	Fruits et légumes	Matières grasses	Extra
208 Sauce aux pommes et à la menthe..............				1½		
209 Sauce Barbecue						1
210 Sauce béchamel au blé entier....................			1		½	
211 Sauce brune...................................						1
212 Sauce fruitée.................................				1		
213 Sauce mystère...............................			1		1	
214 Sauce piquante au yogourt					½	
215 Sauce tomate.................................						1
CONFITURES ET MARMELADES						
216 Confiture d'abricots...........................						1
217 Confiture d'oranges et de pêches						1
218 Confiture de fraises............................						1
219 Confiture de poires et d'ananas						1
220 Marmelade de bleuets						1
221 Marmelade de pommes et de pruneaux...........						1
BOISSONS						
SAVEUR FRUITÉE						
224 Boisson d'été				1½		
224 Boisson tendresse............................			1	1		
225 Jus d'orange tropical				1½	½	
225 Jus ensoleillé				1½		
226 Jus lacté...................................			1	1½		
226 Lait frappé aux bananes et aux fraises			1	1½		
227 Rosé Santé.................................				1½	½	
228 Santagria...................................				1½		
SAVEUR DU POTAGER						
229 Cocktail du jardin.............................			1	½		
230 Jus de tomate fruité				½		
230 Jus de tomate surprise				1		

* Les valeurs sont données pour une portion de chaque recette.